KB161894

사장님!
세금신고?
어렵지 않아요

프리랜서, 면세사업자의 세금신고와 절세법

사장님!
세금신고?
어렵지
않아요

딱 한 번만
읽으면 이해되는
프리랜서
면세사업자의
세금신고

최용규

지음

프리랜서와 면세사업자의 수는 많은데 프리랜서와 면세사업자만을 위한 세금 신고 관련 책은 잘 보이지 않습니다.

많은 프리랜서들이 3.3% 원천징수를 한 뒤 대가를 받기에 세금 신고는 종료되었다고 생각합니다. 다수의 면세사업자들은 세금이 면제된다고 알고 있습니다.

프리랜서와 면세사업자는 부가가치세 신고를 하지 않는다는 공통점이 있습니다.

프리랜서는 사업자등록을 하지 않은 개인사업자이고 면세사업자는 부가가치세가 면제되는 재화 또는 용역을 판매하기에 부가가치세가 면제됩니다.

그러나 소득이 발생하면 세금을 내야 하므로 프리랜서, 면세사업자도 종합소득세 신고는 해야 합니다.

세금은 국가나 지방 단체가 필요한 경비를 충당하기 위해서 국민으로부터 거둬들이는 돈을 말합니다.

세금을 구하는 계산법은 번 돈에서 벌기 위해 쓴 돈을 차감하는 방식입니다. 즉 이익에 대해서 일정한 비율이 세금이 되는 것입니다.

그러므로 프리랜서와 면세사업자도 이익이 발생하면 세금을 신고하고 납부해야 합니다.

4차 산업혁명을 맞이하여 프리랜서의 비중이 점점 늘어나고 있습니다. 저와 같은 작가 그리고 디자이너, 유튜버와 같이 사업장 없이 혼자 일하는 사람들을 프리랜서라고 합니다.

프리랜서의 대부분은 세금이라는 단어가 주는 무게감으로 제대로 알아보지도 않고 어렵게만 생각합니다.

어떤 세금을 납부해야 하고 언제 신고를 해야 하는가 정도는 기본적으로 숙지를 해야 합니다.

세무대리인을 고용하고 있으니 세금에 대해 무관심한 사장님들을 제법 많이 만나곤 합니다. 저는 강의 중에 이런 사장님들에게 이렇게 말합니다.

'모르고 맡기는 사람과 알고 부리는 사람 중에 누가 세금을 더 적게 낼까요?'

세무대리인을 쓰더라도 알고 부려야 합니다. 대단히 어렵지 않습니다. 딱 이 책 내용정도만 숙지하면 됩니다.

본 책은 먼저 세금에 대한 체계를 잡고 프리랜서와 면세사업자들의 실제 적용 사례를 들어 실무에서 활용 가능하도록 알기 쉽게 집필을 하였습니다. 세금 지식이 없는 초보도 쉽게 접근하여 세무대리인을 쓰지 않고 직접 세금신고도 가능하도록 구성하였습니다.

그럼 지금부터 프리랜서와 면세사업자가 사업을 시작하여 납부

해야 할 세금에 대해 하나씩 알아보고, 더불어 절세하는 방법까지
알아보도록 하겠습니다.

– 택스 코디 **최 용 규**

목차

··· Contents

면세사업자

··· Contents

사 장 님 !
세 금 신 고 ?
어렵지않아요

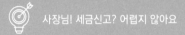
사장님! 세금신고? 어렵지 않아요

프리랜서

세금신고
어렵지 않아요

수학 실력이 아니라
산수 능력만 있으면 가능하다

맡기기만 하면 절세는 저절로 되는 줄 알았습니다.

그것이 제가 세무대리인을 고용한 이유였고, 이후 전 세금에 대한 신경을 껐습니다.

세무 상담을 하다 보면 예전의 저처럼 생각을 하는 사람들이 대다수입니다.

알고 있나요?

세금 폭탄을 맞아도 아무도 책임져주지 않습니다. 고스란히 사업주가 책임을 져야 합니다.

프리랜서 혹은 면세사업자인가요?

반드시 세무 공부는 필요합니다. 선택의 문제가 아니고 필수적으로 해야만 하는 것입니다.

초창기 창업 비용을 제외하고 가장 큰 지출이 세금이라고 합니다. 이렇게 큰 지출임에도 많은 사람들은 귀찮고 어렵다는 핑계로 세무 공부를 하지 않습니다.

세무대리인이 알아서 절세를 해주겠지라고 믿고 있다가 신고 날이 임박해서 예측하지 못한 세금으로 곤란을 겪게 되는 경우도 종종 보게 됩니다.

'난 분명 세무대리인을 쓰고 있는데, 세금이 왜 이렇게 많이 나온 거야?'

안정적으로 사업체를 운영하려면 세무와 노무에 대한 지식은 필수입니다. 세금은 지출이 큰 금액이기에 신고 전에 미리 부가가치세, 원천세, 종합소득세 등을 계산해 보고 준비를 해야만 자금 운영에 차질이 생기지 않습니다.

세금은 사후적으로 신고 기간에 챙기는 것이 아닙니다. 평소에 관심을 가지고 사전에 관리를 해야 하는 분야입니다.

만약 우리가 세무사나 회계사 시험공부를 한다면 조금 다른 문제일 수도 있으나, 세금을 신고하는 방법만 알면 됩니다.

참 다행인 것은 세금 신고를 배우기 위해서는 중학생 정도의 지식수준만을 요구한다는 것입니다.

만약 당신이 산수에 자신이 없다면 이 책을 덮길 바랍니다.

세무대리인만 믿었는데

'난 세무대리인을 쓰니 세금은 적게 나오는 것이 당연한 거 아냐?'

이런 생각을 하는 사람들이 많습니다.

그 중에는 연예인들도 다수 있습니다. 한 번씩 누구 연예인이 탈세로 방송 하차를 했다는 뉴스를 접합니다.

그들은 최고의 세무대리인을 고용 했을텐데, 왜 이런 일이 발생했을까요?

모르고 맡긴 결과입니다. 그리고 한마디 했겠죠. '세금은 무조건 적게 나오게 해주세요.'

세무대리인은 대리 신고를 하는 업무를 하는 사람들입니다. 사업주로 넘겨받은 증빙을 토대로 대리 신고를 할뿐 입니다.

간혹 수임료를 넉넉하게 받아서 가공 경비를 만들어 세금을 줄여 주었다고 칩시다. 그러면 세금은 그만큼 줄겠죠.

허나 그로 인해 발생한 문제는 그들이 책임지지 않습니다.

세무 상식이 없는 상태에서 무작정 세금을 줄여 달라고 요구하는 것이 엄청난 결과를 초래하기도 합니다.

배워야 합니다. 알아야 합니다.

많이 알 필요도 없습니다. 올바른 증빙을 제출할 줄 알아야 하고, 세무대리인이 신고한 것이 바르게 신고되었는가를 확인할 줄 아는 정도의 지식은 있어야 합니다. 회계사 시험을 치는 것이 아니기에 생각만큼 어렵지 않습니다.

세무대리인을 고용중인가요?

그렇다면 신고 전 검증을 꼭 해야 합니다. 스스로 힘들게 마련한 증빙들이 잘 처리되어 있는지 확인은 필수입니다.

알고 부릴 때 세무대리인한테 지급한 수수료가 아깝지 않은 것이 됩니다.

그것이 곧 절세입니다.

또 하나의 사례를 들어볼까요.

보험설계사 노모(48)씨는 지난달 세무서로부터 세금추징 안내문을 받고 눈앞이 깜깜해졌습니다. 2011년부터 15년까지 납부한 종합소득세가 허위로 신고되었다는 이유로 가산세 1억 1천 4백만 원을 추징한다는 내용이었습니다. 세무대리인을 통해 성실 납세를 했다고 생각했던 터라 노씨가 받은 충격은 배가되었습니다

세무대리인의 장난질에 보험설계사 등 프리랜서 수천 명이 수천억 원의 세금을 추징당할 위기에 놓였습니다.

적게는 2000만 원, 많게는 3억 원까지의 세금을 내게 되었다며 아우성이었습니다.

이들이 세무 업무를 맡긴 사람은 A씨로 나름 업계에서는 인지도가 있는 세무사였다고 합니다.

A씨는 업계가격보다 싸게 합법적으로 절세를 해 줄 터이니 맡겨만 달라고 했습니다. 실제 그가 제시한 수임료는 시중 가격 절반 정도로 싼값이었고, 이에 솔깃한 많은 사람들이 세무대리를 맡겼습니다.

세무당국은 A씨가 절세가 아닌 탈세를 했다는 판단입니다.

세금을 줄이기 위해 공제받을 비용을 무리하게 책정해 신고한 것입니다. 고객들에게 받은 비용증명영수증을 무시하고 본인 마음대로 더 많이 신고하기도 하였던 것입니다.

세무당국은 A씨에게 세무대리를 맡겼던 프리랜서들에게 최근 5년 동안 소득을 올리는데 사용한 비용을 모두 증빙하라 요구해

놓은 상태입니다.

본인들이 증명하지 못하면 내지 않은 세금에다 신고불성실가산세와 납부불성실가산세를 내야 할 처지에 놓였습니다.

A씨는 현재 국세청의 고발로 탈세 등의 혐의가 적용되어 구속 수사 중입니다.

우리가 세무 공부를 게을리하지 않아야 할 또 하나의 사례입니다.

세무대리인은 말 그대로 대리인일 뿐이고 모든 책임은 스스로가 져야 하는 게 세법입니다.

자진신고라는 함정

프리랜서, 면세사업자는 종합소득세를 신고, 납부할 의무가 있습니다. 사업자의 세금신고는 자진신고 방식입니다.

자진신고란 말 그대로 정해진 신고 기간에 스스로 신고를 한다는 것입니다.

초보 사장님

신고 기간을 몰라서 신고 기간이 지난 후에 그 사실을 알게 되면 어떻게 해야 하나요?

택스 코디

그런 경우가 종종 있습니다. 그럴 때는 '기한 후 신고'를 하면 됩니다.

만약 종합소득세의 신고 기한을 놓쳤을 때는 종합소득세 기한 후 신고를 하면 됩니다.

'기한후신고'는 높은 가산세가 부과되고 신고 기한이 늦어질수록 가산세가 점점 쌓여가므로, 종합소득세를 신고하지 못했다는 사실을 알게 되면 지체하지 말고 즉시 기한후신고를 해야 합니다.

종합소득세를 신고하지 않아 세무서로부터 고지서 또는 독촉장을 받은 경우에도 종합소득세 기한 후 신고를 해야 합니다. 집에서든 어디서든 홈택스로 간편하게 할 수 있으므로 그 사실을 인지한 즉시 신고해야 합니다.

신고, 납부 기한을 잘 지키는 것도 훌륭한 절세입니다.

많은 사람들이 세무조사라는 단어만 들어도 위축이 되는데 고의적인 탈세 행위가 아니라면 두려워하지 않아도 됩니다.

만약 실수로 잘못 신고하였다면 수정신고를 하면 되니 세무조사라는 막연한 두려움은 떨쳐버려도 됩니다.

문제는 세금 신고 방식이 자진신고 방식이다 보니 스스로 절세하는 방법을 알아야 챙길 수 있다는 것입니다.

세액공제를 받을 수 있음에도 세액공제 항목이 무엇인지 또 얼마나 공제가 되는지를 모르는 사업자들이 허다합니다. 만약 절세 방법을 몰라서 내지 않아도 될 세금을 납부했다면 그것은 고스란히 사업주의 책임이 됩니다. 이것이 자진신고의 함정입니다.

계속 얘기하는 부분이지만 우리가 배워야 하는 세무지식은 세무사, 회계사가 되기 위한 시험공부를 하는 것이 아닙니다. 단지 세금 신고를 할 정도의 지식만을 배우기에 중학생 정도의 지식만으로도 충분히 이해가 되는 내용입니다.

그러니 본 책을 좀 더 읽어볼까요.

사업자라면 알아두면 도움이 되는 사이트 목록입니다.

국세청	국세에 대한 종합적인 정보를 제공 www.nts.go.kr
홈택스	국세 전자신고 전문 사이트 www.hometax.go.kr
위택스	지방세 관련 종합정보 제공 www.wetax.go.kr
4대사회보험 정보연계센터	4대보험 공통신고 접수 및 4대보험 가입내역 확인 www.4insure.or.kr
국세법령 정보시스템	세금법령 사이트 txsi.hometax.go.kr/docs/main.jsp
노란우산공제	소기업, 소상공인 공제제도 www.8899.or.kr

홈택스란?

홈택스란 인터넷을 통해서 세금 신고, 납부, 민원증명 발급 등을 이용할 수 있는 국세종합서비스를 말합니다.

메인화면 상단 메뉴는 개인사업자, 법인사업자, 세무대리인, 개인, 정부 기관으로 크게 나누어집니다. 각자의 사업자 유형에 맞게 로그인하여 세무 관련 업무를 보면 됩니다.

홈택스에서는 신고뿐만 아니라 납부도 가능합니다. 그동안 납부했던 내역도 확인이 가능합니다.

그리고 홈택스를 통해서 민원증명도 발급이 쉽게 가능합니다.

 초보 원장님

홈택스를 통해서 발급이 가능한 민원증명은 어떤 것이 있나요?

택스 코디

발급이 가능한 주요 민원증명은 아래와 같습니다.

[홈택스에서 발급 가능한 민원증명]

납세증명서, 사업자등록증명, 휴업사실증명, 폐업사실증명, 소득금액
증명, 납세사실증명, 부가가치세과세표준증명, 부가가치세면세사업
자수입금액증명, 표준재무제표증명(개인, 법인), 사업자단위과세적용
종된사업장증명, 연금보험료 등 소득,세액 공제확인서, 모범납세자증
명, 근로(자녀)장려금 수급사실증명 등

 초보 원장님

은행에서 대출을 받을려고 하는데 소득을 증명하는 자료
를 요구합니다.

 택스 코디

보통 대출을 받을 때 금융기관에서 요구하는 자료가 담
보입니다. 하지만 마땅한 담보가 없을 경우엔 본인의 소득
을 증명할 자료를 요구합니다.

그러한 자료로 사업자등록증이 있는 개인사업자의 소득

금액증명원, 납세증명원, 부가가치세 과세표준증명원이 해당됩니다.

소득금액증명원이란 종합소득세 신고를 한 소득금액을 보여주는 것입니다. 납세증명원은 체납된 세금이 있는지를 보여주는 것입니다. 부가가치세 과세표준증명원은 부가가치세 신고를 통해서 신고된 매출액을 표시해주는 증명서입니다.

부동산이나 주식 등 재산적 가치가 있는 무엇을 취득했을 때 세무서로부터 자금출처조사를 받는 경우가 있습니다.

세무서에서는 자금출처조사를 하기 전에 전산에 등록된 세금신고 내역을 조회합니다.

요즘은 계좌 내역의 실질적인 현금흐름을 중심으로 파악하기도 하지만, 종합소득세 신고 내역이 자금출처의 소명 자료로 인정되기도 합니다.

회계사무실의 영업테크닉

 초보 원장님

작년에 면세사업자로 외국어학원을 개원했습니다. 작년 매출은 5천만 원입니다.

매입자료는 2천만 원 정도 됩니다. 매입이 너무 적어서 종합소득세가 많이 나올 듯 하여, 주변 회계사무실에 상담을 받아보니 종합소득세가 5백만 원 정도 나온다고 합니다. 자기들이 아니면 천만 원 이상도 나온다고 합니다.

주변에 장사하는 지인들은 그 정도는 나올 수 없다고 합니다. 뭐가 맞는 건가요?

 택스 코디

세금은 숫자로 표현되기에 정확한 정보만 있다면 계산이 가능합니다. 질문을 잘해야 맞는 답을 줄 수가 있습니다.

1 세금신고 어렵지 않아요

종합소득세를 줄이기 위해서는 필요경비가 많아야 하고, 소득공제 항목이 많아야 하고, 세액공제 항목까지 많으면 종합소득세는 줄어듭니다.

작년 기준으로 대략적인 매입, 매출만 나와 있기에 정확한 답은 줄 수가 없습니다.

몇 가지 가정을 해보겠습니다. 외국어학원의 단순경비율은 74.9%이며, 배우자만 있고, 다른 소득공제, 세액공제 항목은 없다고 계산해 보겠습니다.

[수입금액 – 필요경비 = 소득금액]

5천만 원 – 3,745만 원(단순경비율로 필요경비를 계산 5천만 원 × 74.9%) = 1,255만 원

[소득금액 – 소득공제 = 공제된 소득 (과세표준)]

1,255만 원 – 3백만 원 (본인공제, 배우자공제) = 955만 원

[공제된 소득 (과세표준) × 세율 = 세액]

955만 원 × 6% = 573,000원 (종합소득세 계산 금액)

작년에 사업자등록을 하였으면, 직전년도 매출이 없기에 간편장부대상자로 되며 추계신고도 가능합니다.

몇 가지 가정을 하였기에 정확한 금액은 아니지만, 질문 내용처럼 터무니 없는 금액도 아닙니다.

그런데, 상담하러 간 회계사무실에선 왜 터무니없이 높은 금액을 얘기하였을까요?

질문하는 걸 보면 상대의 세무지식이 어느 정도인가를 판단할 수 있습니다. 질문자의 세무지식은 거의 전무 하기에 아무렇게나 불러도 확인을 할 방법이 없는 것을 알기에 터무니없는 금액으로 겁을 팍 주는 겁니다.

그러면서 이렇게 말을 하죠.

'지금이라도 우리에게 기장을 맡기세요. 최대한 줄여 볼께요.'

조금만 공부하면 부가가치세나 종합소득세는 계산이 가능하고 직접 신고도 가능합니다.

복식부기의무자가 아니면 회계사무실을 거래할 이유가 없습니다.

① 세금신고 어렵지 않아요

세금의 함정

개인사업자의 세금은 크게 두 가지로 나눕니다.

하나는 부가가치세, 또 다른 하나는 종합소득세입니다. 프리랜서와 면세사업자는 부가가치세는 신고하지 않으니 종합소득세만 신경을 쓰면 됩니다.

세금을 계산하는 방식은 번 돈(수입금액)에서 벌기 위해 쓴 돈(필요경비)을 차감하는 방식입니다.

이런 세금에는 숨겨진 함정이 있습니다.

바로 과세기간과 신고기간이 다르다는 큰 함정이 있습니다.

예를 들면, 종합소득세의 과세기간은 전년도 이고, 신고기간은 올해 5월 31일까지입니다.

그러기에 신고를 앞두고는 할 수 있는 일이 없습니다.

많은 사람들이 신고 기간을 앞두고서야 '어떻게 해야 할까?'를 문의합니다.

절세는 미리 알고 대비할 때 가능합니다. 아무리 유능한 세무대리인을 고용하더라도 신고 기간이 임박해서는 아무것도 할 수 있는 것이 없습니다.

많은 사람들이 신고, 납부고지서가 날아오기 전까지 어떤 세금을 얼마나 내야 하는가를 모릅니다.

혹시 세무대리인을 쓰고 있나요?

바람직한 세무대리인 사용법에 대해 간단히 적어보겠습니다.

[바람직한 세무대리인 사용법]

1 사전에 내야 할 세금을 대략 미리 계산해 본다.

2 신고 전 세무대리인이 계산한 세금과 비교를 해본다.

3 내가 계산한 금액과 세무대리인이 계산한 금액의 차이가 발생하면 꼭 이유를 알아낸다.

위 세 가지 방법을 순서대로 하고 있다면, 당신은 최고의 절세를 하는 것입니다.

사장님! 세금신고? 어렵지 않아요

프리랜서

프리랜서의
세금

②

프리랜서란?

 프리랜서

저는 IT 업종에서 종사하는 프리랜서입니다. 그런데 주변에서 3.3% 사업소득이 계속 발생하면 부가세를 내야 하기 때문에 사업자등록을 해야 한다는 말을 들었습니다. 일도 띄엄띄엄 들어오는데 사업자등록을 해야 하는 걸까요?

 택스 코디

저와 같이 직원도 없고, 사무실도 없이 일하는 사람을 프리랜서라고 합니다.

사업자등록은 직원이 있거나 영업 활동을 하는 사업장이 있을 경우에 하는 것입니다.

사업을 계속하고 있다는 이유만으로 무조건 사업자등록을 해야 하는 건 아닙니다.

사업을 시작하기 위해서는 사업자등록이 필요합니다. 사업자등록을 하지 않고 사업을 하거나 다른 사람 명의로 사업을 하는 경우엔 세법상 불이익을 주고 있습니다.

[사업자미등록 가산세]

사업자는 사업개시일로부터 20일 이내에 사업자등록을 해야 합니다.

[타인 명의 사업자등록 가산세]

타인 명의 사업개시일로부터 실제 사업이 확인되는 날의 직전일까지 매출액의 1% 가산세가 부과됩니다.

[사업자등록의 예외]

사업장이 없는 인적용역 소득을 제공하는 사업자, 소위 프리랜서(학원 강사, 보험모집인 등)가 해당됩니다.

세법에서는 프리랜서를 '사업자등록신고를 하지 않은 자유직업 소득자'라고 말합니다.

저 같은 작가들이 흔히 말하는 프리랜서입니다.

프리랜서는 사업주로부터 업무지시를 받지 않고 독립적으로 일을 하고, 출퇴근 시간이나 근무 장소에도 제한을 받지 않아야 한다고 법에서는 말하고 있습니다.

저는 출판사와 약속한 날까지 원고를 마감해야 하는데 출판사에 직접 출근하지 않고 집에서 원고를 씁니다. 전형적인 프리랜서의 모습이죠.

프리랜서는 사업자등록증이 없는 개인사업자를 말합니다. 그래서 프리랜서의 소득은 근로소득이 아니라 사업소득으로 구분되어집니다. 그렇기 때문에 프리랜서는 사업소득이 있을 경우, 매년 5월 31일까지 종합소득세를 신고, 납부를 해야 합니다.

소득세는 우리나라 세금에서 20% 이상을 차지하는 가장 중요한 세금 항목입니다. 그다음으로 부가가치세와 법인세가 큰 비중을 차지합니다.

부가가치세 세법에 따르면 개인이 면세대상을 취급하고 사업자등록을 하지 않아도 되는 이유를 아래와 같이 설명합니다.

'개인이 물적 시설 없이 근로자를 고용하지 않고 독립된 자격으로 용역을 공급하고 대가를 받는 인적용역은 면세대상이다.'

여기서 물적 시설이 없다는 것은 사업장이 없다는 뜻입니다. 즉 사무실이 있으면 프리랜서가 될 수 없습니다. 근로자를 고용하지 않고란 직원 없이 혼자 일하는 것을 말합니다. 웹툰 작가의 어시스트, 연예인의 코디네이터는 직원이 아닌 보조자로 분류됩니다. 독립된 자격이란 어느 회사에 고용되거나 속해있지 않음을 말합니다.

무엇보다 물건이 아닌 용역을 공급해야 하는데, 공인회계사나 변호사와 같은 전문직사업자의 용역은 해당되지 않습니다.

우리 주변에서 볼 수 있는 프리랜서에는 디자이너, 프로그래머, 모델, 학원강사, 작가 등이 있습니다.

유튜브 수입은 유튜버가 제작한 콘텐츠에 광고를 넣어, 그 수익률의 일부를 받아 발생합니다.

유튜버들은 사업자등록을 해야 할까요?

유튜버로 활동하여 수입이 발생한 경우에는 유튜브 측에서 유튜버의 은행 계좌로 직접 송금을 하므로, 국세청에서 소득을 파악하기는 어려운 것이 사실입니다.

최근 국세청에서는 고소득 유튜버들을 대상으로 철저한 신고 검증을 진행하고 있으며, 세금 탈루 혐의가 있으면 세무조사를 진행한다고 밝혔습니다.

참고로 1년에 외화 1만 달러 이상 입금을 받은 경우에 대해서는 국세청으로 자료가 넘어갑니다.

②프리랜서의 세금

유튜버를 시작하는 대부분의 사람들은 집에서 콘텐츠를 제작하는 경우가 많으므로, 수익이 발생하면 집 주소로 사업자등록을 하여도 무방합니다.

유튜버는 광고 수입에 대해 영세율이 적용되므로 일반과세사업자로 사업자등록을 하는 것이 유리합니다.

이유는 영세율 적용 사업자는 부가가치세 신고 시 매입세액공제가 가능하기 때문입니다.

프리랜서란 일정한 회사에 전속되는 것이 아니라, 자유계약에 의해 일을 하는 사람을 일컫습니다.

프리랜서 계약서를 작성할 때에는 계약목적, 계약기간, 계약대상, 업무범위. 자료제공, 비밀유지, 사업주 및 프리랜서의 서명 등의 항목으로 계약서를 구성하는 것이 통상적입니다.

사업주와 프리랜서 간 계약서를 내용과는 관계없이 '임금을 목적으로 종속적인 관계에서' 사용자에게 근로를 제공하였다면 근로자의 지위가 인정됩니다.

실제로는 프리랜서가 근로기준법상 근로자에 해당하는지에 대해 다툼이 발생하는 경우가 많은데, 사업주는 프리랜서가 출퇴근이나 활동구역 등에 특별한 제한을 받지 않고, 사업주의 구체적인 지휘, 감독 없이 재량에 따라 업무를 처리한다는 내용의 조항을 근로계약서에 기재하고, 실제 업무 요청 시에도 지휘, 감독에 이르지 않는 정도의 요청에 그쳐야 합니다.

원천징수의 종류

원천징수를 할 때 소득의 종류별로 원천징수하는 방법이 다릅니다.

❶ 근로소득

근로소득은 종합소득세 대상 중에서 연말정산으로 그 신고의무가 끝이 나는 소득입니다. 다른 소득은 다음해 5월 납세자가 직접 종합소득세 신고를 해서 신고와 납부를 해야 합니다. 다른 소득은 대부분 원천징수 세율로 정해져 있어서 단순하게 계산되지만, 근로소득은 소득금액과 가족수에 따라 결정됩니다.

❷ 사업소득

사업소득은 장부를 기록하고 다음해 5월 종합소득세 신고를 통해 납부를 해야 합니다.

프리랜서, 의료보건용역(건강보험공단, 지방자치단체, 보험회사 등이 지급하는 경우)의 경우에 원천징수를 하고 지급하는 것이 일반적입니다. 원천징수세율은 지급하는 소득의 3.3%(소득세 3% + 지방세 0.3%) 입니다. 사업소득을 지급하는 사업주는 지급하는 소득의 3.3%를 원천징수하고, 사업자(프리랜서)에는 나머지를 지급합니다.

❸ 기타소득

다른 소득에 포함되지 않는 소득입니다. 기타소득의 원천세율은 22%(소득세 20% + 지방세 2%)입니다.

인적용역 기타소득에 해당하면 60%의 경비를 인정 받습니다. 예를들면 100만 원의 기타소득이 발생하면 60만 원의 경비를 인정받아 소득은 40만 원이 되어 22%인 88,000원을 원천징수하게 됩니다.

프리랜서는 근로자가 아니므로 프리랜서의 소득은 사업소득 또는 기타소득이 되어 매년 5월에 종합소득세를 신고, 납부해야 합니다.

근로소득, 사업소득, 기타소득을 조금 더 쉽게 이해하고자 아래 사례를 들어 살펴보겠습니다.

[사례 1]

A씨가 학원원장의 지시에 따라서 일정한 시간에 출,퇴근하며 지시된 강의를 하고 수입을 얻는다면, 이는 근로소득입니다. 근로소득만 있는 경우에는 연말정산을 통해서 종합소득세 신고,납부의 의무는 종결됩니다.

[사례 2]

A씨가 학원과 협의해서 강의를 어떻게 할지, 수강료는 어떻게 나눌지를 결정하고 출퇴근 시간에 제약을 받지 않고 강의료를 받는 경우라면 사업소득입니다. 5월 종합소득세 신고, 납부를 해야 합니다.

[사례 3]

A씨가 주업이 따로 있고 학원의 요청으로 비정기적으로 강의를 하고 강의료를 받는다면 기타소득입니다. 기타소득은 다른 소득으로 구분되어 지면 우선적으로 다른 소득으로 구분되고, 구분되지 않는 경우에 한해 기타소득이 됩니다.

프리랜서도 장부 작성을 해야 하나요?

소득은 점점 투명해지고 있기 때문에 사업자의 소득은 대부분 국가에서 파악이 가능합니다. 종합소득세를 줄이기 위해서는 벌기 위해 쓴 돈, 즉 비용을 인정받아야 합니다. 사업자의 지출을 비용으로 인정을 받을려면 장부를 작성해야 합니다.

모든 사업자는 자신의 수입과 지출에 대해 장부를 작성해야 합니다. 이를 작성하지 않으면 무기장 가산세를 물어야 합니다.

장부는 세금을 신고할 때 제출을 하는 것은 아니고 세금 신고가 잘못되어 소명 요청이 들어왔을때 소명용증빙의 역할을 하게 됩니다.

 프리랜서

프리랜서도 장부를 작성해야 하나요?

택스 코디

프리랜서의 소득은 사업소득으로 분류가 됩니다. 경비를
인정받기 위해서는 장부 작성을 해야 합니다.

디자이너, 유튜버 같은 프리랜서는 직전년도 매출이 7,500만
원 이상인 경우에는 복식부기의무자, 7,500만 원 미만인 경우에
는 간편장부대상자가 됩니다. 직전년도 매출이 4,800만 원 미만
인 경우에는 장부를 작성하지 않아도 무기장 가산세를 물지 않아
도 되고 추계신고가 가능합니다. 직전년도 매출이 2,400만 원 미
만인 경우에는 추계신고 단순경비율이 적용됩니다.

 프리랜서

장부를 작성하면 인정되는 경비에는 어떤 것이 있나요?

 택스 코디

경비로서 인정을 받을려면 사업과의 연관성이 있어야 하
며 다음과 같습니다.

[장부 작성 시 경비 인정 항목]

출장비(교통비), 접대비, 차량유지비, 교육훈련비, 도서구입비, 사무용
품 등 소모품비, 광고선전비, 통신비 등

프리랜서 4대보험

4대보험은 국가에서 모든 국민에게 의무적으로 가입하도록 한 국가보험입니다.

국민연금, 건강보험, 고용보험, 산재보험이 해당됩니다. 모든 국민은 가입 형태에 따라 아래와 같이 구분됩니다.

[4대보험 가입 형태]

직장가입자	사업장에 고용된 근로자와 그 사용자(고용주)
피부양자	직장가입자에게 생계를 의존하여 보험료를 내지 않는 국민
지역가입자	직장가입자가 아닌 개인사업자 등 소득이 있는 모든 국민

직원이 없는 개인사업자는 지역가입자인 것입니다. 프리랜서의 경우도 지역가입자로 분류됩니다.

보험료는 가입 형태에 따라 산정되는 방식이 다릅니다. 아래와 같습니다.

[4대보험 가입 형태에 따른 보험료 산정 방식]

직장가입자	근로소득의 일정 비율을 납부
피부양자	납부하지 않음
지역가입자	소득과 보유 재산에 따라 납부

가족 구성원 중 직장가입자가 없는 경우는 모두가 지역가입자로 분류되어 모든 가족은 보험료를 납부해야 합니다. 보험료는 세대주에게 일괄 청구됩니다.

연말정산을 하는 프리랜서도 있다

프리랜서는 통상 보수에서 3.3%를 공제하고 지급을 받는 사업소득자입니다. 그러므로 발생한 사업소득에 대해 연말정산을 하는 것이 아니라 5월에 종합소득세 신고를 해야 합니다.

그런데 프리랜서임에도 연말정산을 하는 경우가 있습니다. 아래와 같습니다.

[연말정산 하는 프리랜서]

보험모집인	독립된 자격으로 보험가입자의 모집 및 이에 부수되는 용역을 제공하고, 그 실적에 따라 모집수당 등을 지급받는 자
방문판매원	방문판매업자를 대신하여 방문판매업을 수행하고 그 실적에 따른 판매수당을 받는 자
음료배달판매원	독립된 자격으로 음료품을 배달하는 계약배달 판매 용역을 제공하고 판매실적에 따른 판매수당 등을 받는 자

소득세란 개인에게 소득이 생기면 내는 세금이라 하여 개인소득세라고도 합니다.

개인이 지난해 1년 동안의 경제 활동으로 얻은 소득에 대해 납부하는 세금입니다. 모든 과세대상 소득을 합산해 계산하고, 다음 해 5월 1일부터 5월 31일까지 주소지 관할 세무서에 신고, 납부해야 합니다.

종합소득이 있는 사람도 다음 해 5월 1일부터 5월 31일까지 종합소득세를 신고, 납부해야 합니다. 종합소득이란 이자, 배당, 사업, 근로, 연금, 기타소득을 말합니다.

아래의 경우에 해당하면 종합소득세를 확정신고하지 않아도 됩니다.

[종합소득세 확정신고하지 않아도 되는 경우]

- 근로소득만 있는 사람으로 연말정산을 한 경우
- 직전 과세기간의 수입금액이 7,500만 원 미만이고, 다른 소득이 없는 보험모집인 및 방문판매원의 사업소득으로 소속된 회사에서 연말정산을 한 경우
- 비과세 또는 분리과세 되는 소득만이 있는 경우
- 300만 원 이하의 기타 소득이 있는 사람으로 분리과세를 원하는 경우 등

프리랜서

세금
실무

프리랜서 종합소득세 신고 방법

세금을 부담하는 능력을 담세력이라고 합니다. 프리랜서로 일을 하면서 소득이 발생하면 담세력에 근거하여 세금을 내야 합니다.

프리랜서는 3.3% 원천징수된 소득으로 인해 근로소득자가 아닌 사업소득자로 분류되어 종합과세되므로 1년간의 소득 및 경비를 연말정산 기간이 아닌 종합소득세 신고 기간인 5월에 신고하고 납부해야 합니다.

이때 원천징수된 소득(기납부세액)이 결정세액보다 많은 경우, 즉 납부세액이 마이너스 일 경우엔 환급이 발생합니다.

프리랜서 역시 개인사업자와 신고 방법은 동일합니다. 장부 기장에 의한 신고를 할 것인지, 추계신고를 할 것이냐에 따라 소득금액을 계산하는 방법이 달라집니다. 소득금액을 계산하는 방법은 다음과 같습니다.

[장부기장에 의한 신고 시 소득금액 계산]

소득금액 = 총수입금액 - 필요경비

[추계신고 시 소득금액 계산]

□ 기준경비율 적용 대상자 - 소득금액

= 수입금액 - 주요경비 - (수입금액 × 기준경비율)

□ 단순경비율 적용 대상자 - 소득금액

= 수입금액 - (수입금액 × 단순경비율)

 프리랜서

추계신고가 무엇인가요?

 택스 코디

모든 사업자에게 회계장부를 작성하라고 강요할 수는 없습니다.

이제 새로 사업을 시작한 사업자나 동네에서 조그맣게 장사하시는 연세 많으신 분들에게까지 '장부 작성하지 않으세요?'라고 할 수는 없는 것입니다.

장부를 작성한다는 것은 세금계산서 같은 증빙 자료를 잘 챙겨야 하고, 또한 약간의 세무지식이 있어야 가능하기 때문입니다.

그러한 이유로 세법에선 장부를 작성하지 못한 사업자에게 세금을 신고할 수 있도록 추계신고라는 제도를 운영하고 있습니다. 쉽게 얘기하면 추계란 '소득을 추정하여 계산한다'라 이해하면 될 듯합니다.

원칙적으로는 추계신고를 하면 무기장가산세가 발생합니다.

하지만 신규사업자나 계속사업자인데 직전년도 수입금액이 4,800만 원 미만인 소규모 사업자에 대해서는 장부를 작성하지 않아도 가산세를 물지 않습니다.

프리랜서

필요경비로 인정받을 수 있는 대표적인 항목은 무엇이
있나요?

 택스 코디

하는 일에 따라 차이는 있겠지만 대표적으로 차량과 관
련하여 지출된 비용, 통신비, 출장비, 접대비, 교육훈련비,
도서구입비, 사무용품 등의 소모품비, 광고선전비 등이 있
습니다.

 프리랜서

단순경비율과 기준경비율의 선택이 가능한가요?

 택스 코디

직전년도 수입금액에 따라서 결정됩니다. 다음 표를 참
고하세요.

[업종별 직전년도 수입금액에 따른 추계신고 대상 분류]

업종별	기준경비율 적용대상자	단순경비율 적용대상자
1 농업, 임업, 어업, 광업, 도매업 및 소매업 (상품중개업 제외), 부동산매매업, 아래 **2**와 **3**에 해당되지 아니하는 사업	6천만 원 이상자	6천만 원 미만자
2 제조업, 숙박 및 음식섬업, 전기, 가스, 증기 및 수도사업, 하수, 폐기물처리 원료재생 및 환경복원업, 건설업, 운수업, 출판 및 정보서비스업, 금융 및 보험업, 상품중개업 등	3천 6백만 원 이상자	3천 6백만 원 미만자
3 법 제45조 제2항에 따른 부동산임대업, 부동산관련서비스업, 전문과학 및 기술서비스업, 임대업(부동산임대업 제외) 사업시설관리 및 사업지원서비스업, 개인서비스업 등	2천 4백만 원 이상자	2천 4백만 원 미만자

해당하는 업종이 2개 이상일 경우에는 수입금액이 가장 큰 업종의 수입금액 기준으로 환산하여 판단합니다.

종합소득세 환급

 프리랜서

종합소득세도 환급이 되나요?

택스 코디

미리 납부한 세금(기납부세액)이 계산된 세금보다 많은 경우에는 환급이 발생합니다.

예를 들면, 프리랜서 사업자소득(3.3% 원천징수된 세금), 기타소득, 종합소득세 중간 예납분 등이 많은 경우에는 환급이 발생 됩니다.

 프리랜서

환급금은 언제 받을 수 있나요?

③ 세금 실무

택스 코디

종합소득세 신고 기한(매년 5월 31일) 이후 30일 이내에 관할 세무서에서 환급을 실시합니다.

초보원장님

종합소득세가 2천만 원이 넘게 나왔습니다. 통장에 그만큼의 돈도 없고 고민입니다. 방법이 있나요?

택스 코디

개인사업자 종합소득세의 경우 납부세액이 1천만 원을 초과하면 분할 하여 납부가 가능합니다.

분납 기한은 소득세 납부 기한으로부터 2개월 이내에 해야 합니다.

(일반사업자는 7월 31일까지, 성실신고 대상자는 8월 31일까지 납부를 해야 합니다.)

가령 납부세액이 1,500만 원이라면 1,000만 원은 5월 31일까지 납부를 해야 하고, 나머지 500만 원은 7월 31일까지 납부해야 합니다.

납부세액이 2,500만 원이라면 1,250만 원(1,000만 원을 초과한 경우에는 납부세액의 50%에 해당하는 금액을 먼저 납부해야 합니다.)은 5월 31일까지, 나머지 1,250만 원은 7월 31일까지 납부를 해야 합니다.

③ 세금 실무

근로소득과 사업소득이 동시에 있는 경우
소득금액 산정법

종합소득세 신고를 통해서 국가는 사업자의 소득을 가늠할 수 있습니다.

종합소득세가 산출되면 지방소득세(종합소득세의 10%)가 결정됩니다. 더불어 국민연금, 건강보험의 재산정 기준이 됩니다.

그리고 은행 등의 금융권 대출을 받을 때 소득의 증빙 자료로 쓰입니다. 사업자의 객관적인 소득의 지표로 활용되는 것입니다.

종합소득세는 각각의 소득(이자소득, 배당소득, 사업소득, 근로소득, 연금소득, 기타소득) 별로 최종 소득에 합산될 금액을 확정한 다음에 이를 모두 더해야 합니다. 더해진 최종 소득에 세율을 적용하여 계산됩니다.

직장인 겸 프리랜서

저는 회사에서 200만 원의 급여(매월 10만 원씩 원천징수)를 받고 있고 퇴근 후 유튜버로 활동하여 매월 100만 원의 광고 수익을 내고 있습니다. 종합소득세 신고를 해야 하나요?

 택스 코디

근로소득만 있는 경우에는 종합소득세 신고를 하지 않아도 됩니다. 그러나 질문자의 경우처럼 근로소득과 사업소득이 동시에 발생하는 경우에는 종합소득세 신고를 해야 합니다. 질문자는 근로소득에 관해서는 매월 10만 원씩 총 120만 원을 원천세로 납부하였지만 사업소득에 관해서는 납부를 하지 않았기 때문입니다.

근로소득액 2,400만 원과 사업소득 1,200만 원을 더한 3,600만 원이 종합소득세 수입금액이 되는 것입니다.

사업소득은 사업에 관련된 지출이 있을 경우에는 지출을 뺀 금액이 소득금액이 됩니다. 만약 유튜브 방송을 위한 지출이 300만 원이라면 사업소득금액은 900만 원이 됩니다. 물론 지출한 300만 원에 대한 증빙은 있어야 합니다.

사업소득 1,200만 원에서 사업에 관련한 지출 300만 원을 빼준 것처럼, 근로소득에서도 일부 공제가 가능합니다. 근로에 관련한 지출을 근로소득공제라고 합니다. 근로소득공제 금액이 400만 원이라고 가정하면 근로소득금액은 2,000만 원이 됩니다.

그래서 종합소득금액은 3,600만 원이 아니라 2,900만 원(사업소득금액 900만 원 + 근로소득금액 2,000만 원)이 됩니다.

2,900만 원에 대해서 세율을 적용하여 330만 원의 종합소득세가 나왔다고 가정해 봅시다.

그런데 이미 원천징수하여 납부한 세금이 120만 원이 있습니다. 이미 납부한 세금 120만 원을 빼면 최종적으로 납부해야 할 세금은 210만 원이 되는 것입니다.

종합소득세는 누진세율입니다.

부가가치세는 10%의 단일세율을 적용합니다. 그러나, 종합소득세는 과세표준의 크기에 따라 6%~42%의 세율이 적용됩니다. 매출액이 같은 사업자라도 순이익이 다르면 세금이 달라집니다. 간혹 사장님들이 이런 이야기를 나눕니다.

A 사장님 나는 작년 매출이 5억인데, 종합소득세를 2,000만 원 가량 납부했어.

B 사장님 나도 5억 정도 되는데, 난 5,000만 원 넘게 납부했어.

A와 B는 세무대리인의 자질을 평가합니다. 종합소득세를 적게 낸 A가 자신의 세무대리인의 능력을 칭찬합니다.

왜 이런 일이 발생하였을까요?

순이익이 다르기 때문입니다. 둘 다 매출은 5억 원이라 하더라도 A 사장님은 순이익이 1억 원이었고, B 사장님은 순이익이 2억 원이었습니다.

그런 관계로 A 사장님은 2,022만 원(1,590만 원 + 1,200만 원 × 36%)의 종합소득세를 납부하였고, B 사장님은 5,660만 원(3,760만 원 + 5,000만 원 × 38%)의 종합소득세를 납부하였습니다.

세무대리인의 자질 문제가 아니라 순수익이 달라서입니다. 여기서 눈여겨봐야 할 것은 순이익은 2배가 차이가 나는데 세금은 2배가 넘는다는 것입니다. 그 이유는 종합소득세는 누진세율 구조를 취하고 있기 때문입니다.

 초보원장님

소득금액에서 소득공제를 받고 난 금액이 8000만 원과 9000만 원이라면, 세금 차이가 클까요?

 택스 코디

종합소득세는 전기세처럼 누진 적용이 됩니다. 구간을 초과하는 금액에 있어서는 초과 되는 부분은 다른 세율이 적용됩니다.

과세표준금액이 9,000만 원이라면 아래 표에서 알 수 있듯이 8,800만 원일 경우에는 1,590만 원이 책정되고, 초과하는 200만 원에 대해서는 36%의 세율이 적용되어 1590만 원 + 200만 원 × 36% = 1.662만 원으로 계산이 됩니다.

종합소득세 세율의 과세표준은 공제된 소득입니다.(소득금액 − 소득공제 = 공제된 소득)

과세표준금액 (소득 − 소득공제)	세율
1,200만 원 이하	과세표준금액의 6%
1,200만 원 초과 4,600만 원 이하	72만 원 + 1,200만 원을 초과하는금액의 15%
4,600만 원 초과 8,800만 원 이하	582만 원 + 4,600만 원을 초과하는 금액의 24%
8,800만 원 초과 1억5천만 원 이하	1,590만 원 + 8,800만 원을 초과하는 금액의 36%
1억5천만 원 초과 3억 원 이하	3,760만 원 + 1억5천만 원을 초과하는 금액의 38%
3억 원 초과 5억 원 이하	9,460만 원 + 3억 원을 초과하는 금액의 40%
5억 원 초과	1억7,460만 원 + 5억 원을 초과하는 금액의 42%

③ 세금 실무

프리랜서 종합소득세 추계신고

A씨는 프리랜서 학원 강사로 활동 중입니다.

현재 자녀는 없고, 남편은 근로자인 관계로 소득공제를 받을 수 없습니다. 2019년 신고된 수입금액은 3,000만 원입니다.

위와 같이 가정을 하고 추계신고로 종합소득세를 계산해 보겠습니다.(학원 강사의 단순경비율은 61.7%입니다.)

직전년도 수입금액	2018년 수입금액 23,000,000원
당해년도 수입금액	2019년 수입금액 30,000,000원

필요경비	**18,510,000원** = 30,000,000원 × 61.7% 필요경비 = 수입금액 × 단순경비율
소득금액	**11,490,000원** = 30,000,000원 - 18,510,000원 소득금액 = 수입금액 - 필요경비

기납부세액	900,000원 = 30,000,000원 × 3%
	기납부세액 = 지급받은 금액 × 3%
	※ 강사료를 지급 받을 시 사업소득세로 원천 징수된 세금
소득공제	2,000,000원 = 1,500,000원 + 500,000원
	소득공제 = 본인공제 + 부녀자공제
	※ 부녀자공제란?
	해당 거주자가 배우자가 없는 여성으로서 부양가족이 있는 세대주이거나 배우자가 있는 여성인 경우로서 종합소득금액이 3천만 원 이하인 경우에 한하여 50만 원을 공제 받을 수 있습니다.
세액공제	90,000원 = 70,000원 + 20,000원
	세액공제 = 표준세액공제(특별세액공제와 7만 원 중 선택) + 전자신고세액공제

□ **소득금액 − 소득공제** = 11,490,000원 − 2,000,000원 = 9,490,000원

□ **공제된 소득**(과세표준) **× 세율** = 9,490,000원 × 6% = 569,400원

□ **세액 − 세액공제** = 569,400원 − 90,000원 = 479,400원

□ **기납부세액이 90만 원이므로 900,000원 − 479,400원 = −420,600원**

학원 강사인 A씨는 2019년 5월 종합소득세 신고 시 420,600원의 환급이 발생하였습니다.

③ 세금 실무

[종합소득세 계산 시 필요공식]

1 수입금액 − 필요경비 = 소득금액

2 소득금액 − 소득공제 = 공제된 소득

위 공식으로 소득금액을 계산 후 소득공제를 받습니다.

3 공제된 소득 × 세율 = 산출세액

공제된 소득(과세표준)에서 세율을 곱한 후 세액을 산출합니다.

4 산출세액 − 세액공제 = 종합소득세

이렇게 계산된 세액에서 세액공제를 받으면 종합소득세가 결정됩니다.

이번 장에선 종합소득세 신고 중 추계신고를 다룹니다. 기장에 의한 종합소득세 신고 방법 및 소득공제, 세액공제 항목은 마지막 장에서 구체적으로 다루겠습니다.

추계신고를 할지, 기장신고를 할지는 사업자(프리랜서)가 유리한 쪽으로 결정하면 됩니다.

프리랜서 추계신고 (단순경비율)
서식지 기록 예시

앞장에서 다룬 내용을 신고서식지에 옮겨볼까요.

상황을 다시 정리해보면 A씨는 프리랜서 학원 강사로 활동 중입니다. 현재 자녀는 없고, 남편은 근로자인 관계로 소득공제를 받을 수 없습니다.

2019년 신고된 수입금액은 3,000만 원입니다.

(학원 강사의 단순경비율은 61.7%입니다.)

직전년도 수입금액	2018년 수입금액 : 23,000,000원
당해년도 수입금액	2019년 수입금액 : 30,000,000원
필요경비	**18,510,000원** = 30,000,000원 × 61.7% 필요경비 = 수입금액 × 단순경비율
소득금액	**11,490,000원** = 30,000,000원 − 18,510,000원 소득금액 = 수입금액 − 필요경비

기납부세액	**900,000원** = 30,000,000원 × 3% 기납부세액 = 지급받은 금액 × 3% ※ 강사료를 지급 받을 시 사업소득세로 원천 징수된 세금
소득공제	**2,000,000원** = 1,500,000원 + 500,000원 소득공제 = 본인공제 + 부녀자공제 ※ 부녀자공제란? 해당 거주자가 배우자가 없는 여성으로서 부양가족이 있는 세대주이거나 배우자가 있는 여성인 경우로서 종합소득금액이 3천만 원 이하인 경우에 한하여 50만 원을 공제 받을 수 있습니다.
세액공제	**90,000원** = 70,000원 + 20,000원 세액공제 = 표준세액공제(특별세액공제와 7만 원 중 선택) + 전자신고세액공제

(2018년 귀속) 종합소득세, 지방소득세 과세표준 확정신고 및 납부계산서
(단일소득 – 단순경비율적용대상자용)

기본 사항	성명				주민등록번호			
	상호				사업자등록번호			
	주소				전자우편주소			

주소지전화번호		사업장전화번호				휴대폰전화번호		
신고 유형	추계 – 단순율		**기장 의무**	간편장부대상자		**소득 구분**	부동산임대업의 사업소득 부동산임대업외의 사업소득	
업종 코드	940903	**단순경비율 %**		일반율 61.7%		**신고 구분**	정기신고 · 수정신고 · 기한후신고	
				자가율				
환급금 계좌신고		금융기관 /체신관서명				계좌번호		

종합소득세의 계산

구분	금액
총수입금액 : 매출액을 적습니다.	30,000,000
단순경비율에 의한 필요경비 : 총수입금액 × 단순경비율 (%)	18,510,000
종합소득금액 : 총수입금액 – 필요경비	11,490,000
소득공제 : 소득공제명세의 공제금액 합계를 적습니다.	2,000,000

	인적공제 대상자 명세				인적공제		
	관계코드	성명	내외국인코드	주민등록번호	구분	인원	금액
소득 공제 명세					기본공제 본인		1,500,000
					기본공제 배우자		
					기본공제 부양가족		
					추가공제 70세 이상인 자		
					추가공제 장애인		
					추가공제 부녀자		500,000
공적연금공제 : 국민연금 등 공적연금 불입액을 적습니다.							

구분	금액
과세표준 : 종합소득금액 – 소득공제	9,490,000
세율	6%
산출세액	569,400
세액공제 : 세액공제명세의 합계금액을 적습니다.	90,000

세액 공제 명세	자녀세액공제	
	연금계좌세액공제	
	정치자금기부금 세액공제 정치자금법에 따라 정당(후원회 및 선거관리위원회포함)에 기부한 기부금 중 10만 원까지는 기부금액의 100/110을 세액공제 합니다 .	
	표준세액공제	70,000
	전자신고세액공제	20,000
결정세액		479,400

※ 혹연감사, 감사, 과세교습자의 단순경비율은 61.7%를 적용합니다.

③ 세금 실무

임차료 비용처리 가능여부

저처럼 책을 집필하는 작가들은 흔히 프리랜서라 일컫습니다.

작가들은 본인의 집에서 글을 쓸 때도 있지만 임차료를 지불하면서 따로 작업실에서 글을 쓰는 경우도 더러 있습니다.

 프리랜서

작업 공간에 지불 된 임차료를 비용처리를 할 수 있을까요?

 택스 코디

프리랜서란 개인이 물적 시설 없이 근로자를 고용하지 않고 독립된 자격으로 용역을 공급하고 대가를 받는 인적 용역제공자를 말합니다.

여기서 말하는 물적 시설이란 반복적으로 사업에 이용되는 건축물, 기계 장치 등의 사업설비를 말합니다.

물적 시설 없이 용역을 제공하는 사람이 프리랜서이므로, 원칙적으로는 임차료를 비용으로 처리하는 것은 불가합니다.

만약 프리랜서가 사업자등록을 한 경우에는 임차료의 비용처리가 가능합니다.

그러나, 사업자등록을 하였으므로 부가가치세 신고의무가 발생합니다.

먹방 유튜버의 식비 비용처리

요즘 많은 아이들의 장래 희망이 유튜버가 되는 것이라고 합니다. 최근 유튜버의 수는 증가하고 있습니다.

유튜버가 사업자등록을 해야 할까의 여부는 앞장에서 설명을 하였습니다.

사업자등록을 하는 순간 유튜버는 부가가치세, 종합소득세 신고, 납부의 의무를 지게 됩니다.

유튜버는 구글애드센스(해외)로부터 외화를 벌어들이기에 수출업자와 같은 영세사업자로 구분됩니다.

여기서 말하는 영세사업자란 사업이 영세하다는 뜻이 아니라 영세율(0의 세율)을 적용받는 사업자를 말합니다.

영세사업자는 면세사업자와 달리 방송을 진행하기 위해 구입한 장비에 대해 부가가치세 매입세액공제를 받을 수 있습니다.

그러기에 유튜버가 사업자등록을 한다면 간이과세사업자가 아닌 일반과세사업자로 하는 것이 득이 됩니다.(간이과세사업자는 부가가치세 환급이 되지 않습니다.) 영세율이 적용되기에 방송에 관련한 경비는 부가가치세 매입세액공제가 가능합니다.

 예비창업자

먹방을 진행하는 유튜버의 식비가 부가가치세 매입세액공제가 가능한가요?

 택스 코디

사장 본인의 식비는 부가가치세 매입세액공제가 불가능하지만 먹방 유튜버의 식비는 사업에 관련한 경비로 판단하기에 가능합니다.

촬영을 위한 식비의 경우에는 적격증빙은 기본적으로 필요하고 추가로 소명용증빙을 갖추는 것이 좋습니다.

아프리카TV와 같이 국내 회사로부터 직접 원천징수 된 소득을 받는 BJ가 사업자등록을 하지 않았다면 프리랜서로 볼 수 있습니다.

프리랜서는 부가가치세 신고는 하지 않고, 종합소득세 신고만 하면 됩니다.

방송 플랫폼에서는 후원이라는 표현을 자주 쓰지만, 국가에서 인정하고 세금 혜택을 주는 후원에는 특정한 기준이 있습니다. 대표적인 예가 재해로 피해를 입은 사람들을 도와주기 위해 모으는 성금입니다. 그러나 방송인들에게 후원하는 것은 이와는 거리가 멉니다.

이러한 후원은 증여로 보아 증여세를 납부해야 합니다.

증여란 남에게 아무런 대가 없이 자신의 재산을 넘겨주는 것을 말하고, 증여세는 증여를 받는 사람이 납부해야 합니다.

그렇다고 모든 후원에 증여세가 붙는 것은 아닙니다.

세금이 부과되는 최소한의 소득이 있는데, 증여세의 경우에는 50만 원으로 정해져 있습니다. 이를 '과세 최저한'이라 합니다.

그러므로 50만 원 이하의 금액을 후원받았을 때는 증여세를 납부하지 않아도 됩니다.

우편물에 납부금액이 적혀있어요

 프리랜서

세무서에서 우편물을 수령 하였습니다. 우편물에는 납부해야 할 세금 금액이 나와 있습니다. 세금 신고를 한 사실이 없는데 어떻게 된 일인가요?

 택스 코디

프리랜서(사업자등록증이 없는 개인사업자)의 소득은 사업소득으로 분류가 됩니다. 그런 이유로 매년 5월 종합소득세를 신고, 납부해야 합니다. 프리랜서 중에서 이런 사실을 모르고 있다가 질문자와 같은 경우를 맞닥뜨리게 됩니다.

그런데 세무서에서 온 우편물의 금액이 납세자를 위해 세금이 적게 계산되었을까요?

이런식으로 금액이 정해진 납부고지서를 받았을 때는 가산세(신고불성실 가산세, 납부불성실 가산세)가 포함이 되어 있습니다.

신고불성실 가산세는 단순한 착오인 경우에는 납부세액의 20%(고의성이 있으면 40%)가 부과되고 납부불성실가산세는 하루에 2.5/10,000(1년이면 9.125%)가 부과됩니다.

신고 기한 내에 세금 신고를 하지 않거나 과소 신고를 한 경우에는 과세 관청이 직권으로 과세표준을 정해 고지를 합니다.

이런 경우 가산세는 법으로 정한 무신고가산세, 납부불성실가산세 등을 부과하며 가산세 감면은 하지 않습니다.

프리랜서

프 리 랜 서

면세사업자

세 금 신 고

절 세 법

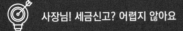

사장님! 세금신고? 어렵지 않아요

면세사업자

면세사업자란? ①

세무공무원의 말은
무조건 신뢰해도 된다?

예전에는 상당히 고압적이었지만 최근 국세청 공무원들은 대부분 납세자에게 도움을 주려고 합니다.

명심해야 할 사실은 특정 공무원의 설명이 법적 효력을 갖는 게 아니라는 사실입니다.

세무공무원의 설명은 행정서비스이지 과세 관청의 공적인 견해가 아닙니다.

요컨대 세무공무원의 안내를 받고 신고하더라도 신고 자체에 문제가 생긴 경우에는 납세자 본인이 책임일 져야 합니다.

예를 들어 사업자등록을 할 때 과세사업자인지 면세사업자인지 구분을 하지 못해서 세무서에 물어보고 면세사업자로 등록을 했는데, 나중에 부가가치세 대상이라고 해서 세금이 부과되어도, 면세사업자로 등록을 했는데 왜 부가가치세가 나오냐고 따질 여지가 없다는 뜻입니다.

세무서에는 당신이 처음부터 잘못된 정보를 제공했기 때문에 그렇게 얘기한 것이지, 면세대상 사업자라 판단해 준 것은 아니라고 하면 법적 책임이 없습니다.

대법원판례. 유권해석 등이 모두 납세자에게 책임이 있다고 보는 것입니다.

초보원장님

작은 학원을 운영 중이고 면세사업자입니다. 옷을 팔아보고 싶은데 추가로 간이과세사업자 등록이 가능할까요?

택스 코디

면세사업자가 새로 추가하는 사업자는 간이과세 배제기준에 해당하지 않으면 간이과세사업자 추가가 가능합니다.

간이과세 배제기준은 아래와 같습니다.

1 간이과세 배제업종

제조업이나 광업, 도매업, 부동산임대업, 매매업, 유흥업, 변호사업 등의 경우 원천적으로 간이과세사업자가 될 수 없습니다.

제조업 일지라도 제과점이나 양복점 같은 최종 소비자에게 바로 연결되는 업종의 경우에는 간이과세사업자가 가능합니다.(즉석 판매제조가공업도 간이과세가 가능합니다.)

서비스업 임에도 네일, 피부관리 등은 간이과세사업자등록이 불가능합니다.

② 간이과세 배제지역

간이과세가 가능한 업종이지만 배제되는 지역에 있는 경우에는 무조건 일반과세자로 사업자를 등록해야 합니다.

서울의 경우 강남, 대구의 경우 동성로, 부산의 경우 서면 일대 등 중심상업지역에 있는 경우가 해당됩니다.

③ 간이과세 배제건물

백화점이나 대형마트 같은 곳이 해당됩니다. 이들 건물에 입점되어 있는 소규모 점포도 일반과세사업자로만 등록이 됩니다.

면세사업자

개인사업자의 구분

부가가치세 세법상 사업자 구분은 과세사업자와 면세사업자로 나뉩니다.

과세사업자와 면세사업자는 과세 되는 품목의 취급 여부에 따라 구분이 됩니다.

과세사업자는 일반과세자와 간이과세자로 구분되며 연 매출액 4,800만 원이 구분의 과세표준이 됩니다.

과세사업과 면세사업을 동시에 운영하는 사업자를 겸업사업자라고 합니다. 겸업사업자에 관한 설명은 권말부록에 추가했습니다.

간이과세자는 부가가치세 계산 구조상 세금이 일반과세자에 비해서 현저히 적으므로 영세한 업체를 위한 제도라고 할 수 있습니다. 간이과세자는 세금계산서를 발행하지 못하고 또 받지 않더라도 불이익은 없으므로 거래의 투명성과는 거리가 멉니다.

소득이 낮은 서민들이 주로 소비하는 품목, 기초생활품목 등에 대해서는 부가가치세를 부과하지 않습니다.

이를 면세라 부르고, 이를 취급하는 사업자를 면세사업자라 부릅니다.

면세품목은 세법으로 명시되어 있고, 면세사업자는 부가가치세 신고, 납부의 의무가 없습니다.

 초보원장님

면세품목은 어떤 것이 있나요?

 택스 코디

기초생활필수품(미가공식료품, 연탄과 무연탄, 수도 등), 국민후생용역(병.의원), 교육(허가된 학원), 여객운송, 문화관련(도서, 신문, 방송, 예술창작 등), 기타(토지 등) 등이 있습니다.

한 번 더 정리하면 개인사업자 중에서는 부가가치세를 내지 않고 소득세만 내도 되는 사업자가 있는데 이를 면세사업자라고 합니다. 소득세와 부가가치세를 모두 내야 하는 사업자는 과세사업자라고 합니다.

면세란 '부가가치세를 면제한다'라는 의미입니다. 부가가치세가 면제되는 면세대상을 취급하는 사업자를 면세사업자라고 합니다. 프리랜서가 공급하는 인적용역도 면세대상입니다.

부가가치세 납부 의무가 없는 면세사업자는 사업자등록의 의무 또한 없습니다. 부가가치세 세법상 사업자등록의 의무가 없어도 소득세 세법에 의해 사업자등록의 의무가 발생하는데, 부가가치세 세법을 제외하고는 강제성이 없기 때문에 일부 면세대상을 취급하고 있는 개인은 사업자등록을 하지 않기도 합니다. 사업자등록을 하지 않아도 미등록가산세가 부과되지 않습니다.

허가, 신고, 등록 업종의 예시

허가, 신고, 등록 업종의 경우는 허가증, 신고증, 등록증 등이 사업자등록 신청 시 반드시 포함되어야 합니다.

1 업종 구분 예시

허가 업종	단란주점, 유흥주점, 성인오락실, 신용정보업, 유료직업소개소 등
신고 업종	일반음식점, 휴게음식점, 교습소, 미용실, 제과점, 당구장, 세탁업, 헬스클럽, 동물병원 등
등록 업종	공인중개사사무소, 독서실, 노래연습장, PC방, DVD방, 청소년오락실, 약국, 의원, 학원 등

사업자등록을 하기 전에 해당 업종이 인, 허가가 필요한 업종인가를 확인해야 합니다. 관할 지자체의 허가나 신고, 등록대상 업종일 경우에는 사업자등록증을 발급받기 위해서는 허가(신고, 등록)증 사본이 필요합니다.

업종별 인허가 구분 및 관련 기관 예시는 아래를 참고하세요.

2 신고 업종

업종	관련 기관
건강기능식품 일반판매업	보건소 보건위생과
미용업	보건소 보건위생과

3 등록 업종

업종	관련 기관
공인중개사	구청 지적과
관광 숙박업	구청 문화체육과
독서실	교육청 평생교육체육과
보험대리점	금융감독원
일반 여행업	구청 문화체육과
학원	교육청 평생교육 체육과

□ **학원** : 등록 업종

학원을 운영하기 위해서는 학원 설립 및 운영에 관한 법률에 의
거하여 학원등록을 해야 합니다. 관할 세무서에 사업자등록 신청
을 하기 전에 관할 교육청에 등록 신청을 먼저 해서 교육청 등록

1 면세사업자란?

증을 발급받아야 합니다.

학원 설립 시 등록에 관한 문의는 관할 교육청 평생교육과로 문의를 해야 합니다.

□ **건설업** : 면허 업종

건설업의 경우에는 면허(종합건설면허, 전문건설면허)가 있어야 건설업을 할 수 있습니다. 면허에 따라 자본금 규모와 건설기술자의 고용 유무 등의 요건을 갖추어야 하기 때문입니다. 어떤 건설업을 할지에 따라 면허 등록기준을 확인하여 준비해야 합니다.

□ **출판** : 등록 업종

출판사의 경우에는 관할 구청 문화체육과에 출판사 이름, 사무실 주소 등을 신고하고 출판업 등록을 해야 합니다.

등록을 하지 않고 출판사의 영업행위를 한 경우에는 1백만 원 이하의 과태료가 발생할 수 있습니다.

□ **대부업** : 허가 업종

한국대부금융협회에서 시행하는 교육, 시험을 이수해야 합니다. 교육 이수 후 6개월 이내에 구청에 허가를 받아야 합니다.

허가를 받을 때 보증금 예탁 또는 보험, 공제 가입 증명서류가 필요합니다.

직접 해 보는 학원 사업자등록

교육청에 학원등록 과정을 거치면서 대부분의 사실이 확인되었기 때문에 특별한 경우를 제외하곤 사업자등록이 가능합니다.

사업자등록은 개원일로부터 20일 이내에 해야 합니다. 기한내에 하지 않으면 미등록가산세가 부과되므로 주의해야 합니다.

사업자등록은 홈택스에서도 가능하지만 세무서를 방문해서 하는 것을 권장합니다. 그 이유는 자기 소유의 건물이 아닌 임대를 한 경우에는 확정일자를 받아놓아야 하기 때문입니다.

세무서에 방문할 때는 신분증, 임대차계약서(원본), 학원등록증을 지참해야 합니다.

본인이 직접 방문하기 곤란한 경우에는 위임받은 대리인이 신청도 가능합니다.

확정일자란 건물소재지 관할 세무서장이 그 날짜에 임대차계약서의 존재 사실을 인정해서 임대차계약서에 기입한 날짜를 말합

① 면세사업자란?

니다.

건물을 임차하고 사업자등록을 한 사업자가 확정일자를 받아놓으면 임차한 건물이 경매나 공매로 넘어갈 경우에 상가임대차보호법의 확정일자를 기준으로 후순위 권리자에 우선에서 보증금을 변제받을 수가 있습니다.

이런 이유로 확정일자는 사업자등록과 동시에 신청하는 것이 가장 좋습니다.

초보원장님

따로 준비해야 할 서류가 있나요?

택스 코디

신규사업자는 사업자등록 신청 시 준비해야 할 서류와 거의 중복이 되니 별도로 준비해야 할 것은 없습니다.

단, 사업자등록신청 시 임대차계약서의 사업장소재지를 등기부등본의 소재지와 다르게 기재한 경우에는 보호를 받지 못할 수 있으니 철저히 확인해야 합니다.

면세사업자

사업자등록신청서는 관할 세무서 민원봉사실에 구비 되어 있습니다.

인적사항에는 상호, 학원장성명, 주민등록번호, 주소 등 기본적인 사항을 기재합니다.

사업장현황란에는 아래의 사항을 반드시 기록해야 합니다.

❶ 업종

학원의 경우 업태는 교육서비스업으로 하고 주종목은 보습학원, 입시학원, 외국어학원 등으로 기재하면 됩니다.

❷ 개업일

개업일은 실제 학원을 개원하는 날로 적으면 되고 종업원 수는 강사 수를 기재하는데, 채용 전이라면 0으로 적으면 됩니다.

❸ 사업장 구분

자가건물인 경우에는 자가란에, 임차한 경우에는 타가란에 면적을 적습니다. 임차한 경우에는 임대인의 인적사항을 기재해야 하고 임대 내역도 기재해야 합니다.

⑦ 면세사업자란?

④ 등록

학원은 등록사업이므로 학원등록증을 발급받았으니 등록에 표기를 한 후 사본을 같이 제출해야 합니다.

⑤ 사업자금 내역

자기자금과 타인자금을 구분해서 기재합니다.

자기자금을 기재할 때는 소득신고 내역을 검토해 봐야 하고, 타인자금을 기재할 때는 증여 등의 문제를 검토해 봐야 합니다. 추후 자금출처의 소명이 들어올 수 있기 때문입니다.

⑥ 연간공급대상 예상액

월평균 수강료 수입을 예상한 후 이를 1년으로 환산한 금액을 기재합니다. 말 그대로 예상액이므로 많게 적을 필요는 없습니다.

⑦ 공동사업자

공동사업자일 경우에는 공동사업계약서를 지참한 후 공동사업자 여부를 표시하고, 그 외 사항은 신경을 쓰지 않아도 됩니다.

창업 시 자금출처에 대한 주의

창업하기 위해선 보증금, 인테리어비용 등의 자본금이 필요합니다. 자본금은 큰 금액이므로 자금준비 시 출처에 주의해야 합니다. 자본금은 자기자금과 타인자금으로 나뉩니다.

자기자본으로 초기자금을 조달할 때는 그 출처를 먼저 생각해야 합니다. 그동안 국세청에 소득신고가 되어 있다면 문제가 없지만, 그렇지 않다면 국세청에서는 초기자본금의 형성을 소득이 누락 되었거나 부모에게 증여를 받은 것으로 보기 때문에 자금의 출처를 소명하라고 합니다.

세법에서는 자금출처에 대해 연령별로 일정 금액 이하일 경우에는 객관적으로 증여를 받은 사실이 없는 한 증여로 보지 않습니다. 예를 들어, 세대주이고 30대인 창업자가 주택을 제외한 기타재산을 취득하거나 채무를 상환하였을 경우 5천만 원까지는 증여로 보지 않습니다. 그러기에 사업에 필요한 자금 중 임대보증금 등에 사용한 금액이 5천만 원 미만이면 객관적인 사실이 없는 한 증여로 보지 않습니다.

정리하면 증여추정배제 기준 금액 이하면, 자금출처 세무조사가 나오지 않습니다.

기준 금액은 아래 표와 같습니다.

[증여추정배제 기준 금액]

구분		취득재산		채무상환
		주택	기타재산	
세대주인 경우	30세 이상인 자	1억 5천만 원	5천만 원	5천만 원
	40세 이상인 자	3억 원	1억 원	
세대주가 아닌 경우	30세 이상인 자	7천만 원	5천만 원	5천만 원
	40세 이상인 자	1억 5천 2백만 원	1억 원	
30 세 미만인 자		5천만 원	5천만 원	5천만 원

※ 1999.1.1 이후 취득 또는 채무 상환하는 분부터 적용

건물주의 이중계약 요구

 초보원장님

　학원을 하려고 임대차 계약을 했습니다. 건물주가 임대료를 조금 깍아 준다고 이중계약서를 요구합니다.

 택스 코디

　이중계약이란 실제 계약과 다르게 임대차계약서를 하나 더 작성하자는 말입니다.

　건물주가 이중계약을 요구하는 것을 심심찮게 보곤 합니다. 결론부터 얘기하자면 이중계약은 건물주만 좋은 일을 시키는 것입니다.

건물주는 학원은 어차피 부가가치세가 면세이니, 이중계약서에

⑴ 면세사업자란?

는 보증금만 기록한 전세계약서를 쓰자고 요구합니다. 대신에 월 임대료의 부가가치세 부분만큼은 공제해 준다고 하는 것이죠. 얼핏 생각하면 월 임대료의 부가가치세 부분을 절약할 수 있으니 서로 윈윈이다고 생각할 수가 있는데 계산을 해보면 그것이 아니라는 것을 알 수 있습니다. 아래의 사례를 들어 살펴볼까요.

□ **실제계약** : 보증금 7,000만 원, 월 임대료 550만 원(부가가치세 포함)

□ **이중계약** : 보증금 7,000만 원, 월 임대료 500만 원(세금계산서 미발행)

학원의 예상되는 수익구조를 아래와 같이 가정해 보겠습니다.

□ **매출액** : 5억 원

□ **임대료를 제외한 비용** : 3억 5천만 원(다른 소득공제는 없다고 가정)

1 실제계약대로 진행할 경우 종합소득세

□ **소득금액** = 8,400만 원

　5억 원(매출액) − 3억 5천만 원(비용) − 6,600만 원(1년간 임대료)

□ **종합소득세** : 약 1,450만 원

❷ 이중계약으로 진행할 경우 종합소득세

□ **소득금액** = 1억 5천만 원

　5억 원(매출액) - 3억 5천만 원(비용)

□ **종합소득세** : 약 3,700만 원

　학원 입장에서는 임대료의 부가가치세 600만 원(50만 원 × 12개월)을 아꼈지만, 실제 종합소득세는 약 2,250만 원 더 납부하였으니 결과적으론 매우 손해입니다.

　건물주 입장에서는 실제로 계약했으면 임대소득이 6천만 원으로 계산되어 종합소득세를 납부해야 하나, 이중계약을 한다면 납부할 세금이 거의 없게 됩니다.

부모님 소유 건물 무상임대 주의점

초보원장님

부모님 건물을 무상으로 임대하여 사용 중입니다. 문제가 되나요?

택스 코디

세법에선 사업자가 대가를 받지 아니하고 타인에게 용역을 공급하는 것은 용역의 공급으로 보지 아니하나, 사업자가 부가가치세법 시행령 제26조 제1항에서 정하는 특수관계인에게 사업용 부동산의 임대용역을 공급하는 것은 용역의 공급으로 보아 부가가치세가 과세 된다고 정의합니다.

부모님이 자녀에게 본인 소유 부동산을 무상임대한다면, 부동산 임대에 따른 부가가치세 문제가 발생하지 않는 것으로 많이 알고 있는데 세법에서는 사업용 부동산에 대해서 가족 등 특수관계인 간의 부동산 무상임대는 부기가치세를 과세하니 주의해야 합니다.

만약 무상임대를 했다면 임대인(부모)이 납부해야 하는 부가가치세는 아래와 같이 계산됩니다.

□ **과세표준**
임대부동산의 시가 × 50% × 과세대상 일수 / 365 × 정기예금이자율

□ **부가가치세**
과세표준 × 10 / 110

부모님 소유의 부동산이라도 적정 임대료를 지불해야 합니다.

① 면세사업자란?

현금영수증 의무 발급 대상 업종

현금영수증 의무 발급 대상 업종에 해당하는 사업을 하고 있다면 거래 건당 10만 원(부가가치세 포함) 이상의 거래를 하고 현금을 받았다면, 현금영수증 발급이 의무입니다.

 초보원장님

현금영수증 의무 발급 대상 업종은 어떻게 되나요?

 택스 코디

현금영수증 의무 발급 대상 업종은 매년 세법 개정을 통해 확대되는 추세이고, 아래와 같습니다.

[현금영수증 의무 발급 대상 업종]

사업 서비스업	변호사업, 공인회계사업, 세무사업, 변리사업, 건축사업, 법무사업, 심판변론인업, 경영지도사업, 기술지도사업, 감정평가사업, 손해사정인업, 통관업, 기술사업, 측량사업, 공인노무사업 등
보건업	종합병원, 일반병원, 치과병원, 한방병원, 일반의원, 기타의원, 치과의원, 한의원, 수의업 등
숙박 및 음식점업	일반유흥주점업(단란주점업 포함), 무도유흥주점업, 관광숙박시설 운영업 등
교육 서비스업	일반교습학원, 예술학원, 운전학원, 스포츠교육기관, 컴퓨터학원, 미용학원, 요리학원, 자동차정비학원 등 직업훈련학원, 속기학원, 속독학원, 웅변학원, 기타 교육지원서비스 등
그 밖의 업종	골프장운영업, 장례식장 및 장의관련 서비스업, 예식장업, 부동산 자물 및 중개업, 산후조리원, 시계 및 귀금속 소매업, 피부미용업, 다이어트센터 등 기타 미용관련 서비스업, 실내건축 및 건축마무리 공사업, 인물사진 및 행사용 비디오 촬영업, 맞선주선 및 결혼 상담업, 의류임대업, 이사화물운송주선사업, 자동차 부품 및 내장용판매업, 자동차 종합 수리업, 전세버스 운송업, 가구수매업, 전기용품 및 조명장치 소매업, 페인트 유리 및 기타 건설자재 소매업, 안경 소매업, 중고차 소매 및 중개, 의약품 및 의료용품 소매, 가전제품 소매, 묘지분양 및 관리, 장의차량 운영 및 임대 등

학원의 경우 현금영수증 의무발행 업종이므로 수입금액에 상관없이 사업자등록 후 3개월 이내에 가맹점에 가입해야 합니다.

수강료를 현금으로 지급받은 경우, 현금영수증의 발행 요청을 받았는데 이를 거부하거나 사실과 다르게 발급한 것이 국세청에 신고가 들어가면 가산세가 부과됩니다.

현금영수증 미가맹점인 경우의 가산세는 미가입기간의 '수입금액 × 1%'가 가산세로 부과됩니다.

현금영수증 발급을 거부하거나 사실과 다르게 발급한 경우에는 발급거부금액 또는 사실과 다르게 발급한 금액의 5%가 가산세로 부과됩니다.

현금영수증은 거래 당일 발급을 원칙으로 하나 5일 이내에 발급한 경우 자진 발급한 것으로 봅니다.

영세율과 면세의 차이

영세율과 면세는 다른 뜻입니다.

영세율은 과세사업자만 적용받을 수 있습니다. 면세사업자가 영세율을 적용받으려면 면세사업자를 포기하고 일반과세사업자로 전환해야 합니다.

영세율을 적용받으면 세금계산서를 발행한 것은 매출세액을 내지 않아도 됩니다.

또 매입 시 세금계산서를 받은 것은 부가가치세 매입세액을 공제받을 수 있습니다.

그러나, 면세사업자는 부가가치세를 내지 않는 것은 동일하지만, 부가가치세 매입세액은 환급받을 수 없습니다.

영세율을 적용받으려면 영세율을 증명하는 서류를 첨부해야 하며, 아래와 같습니다.

□ **내국물품의 국외반출**

수출실적명세서

□ **대외무역법에 따른 중계무역방식의 수출, 위탁판매수출, 외국인도
수출, 위탁가공무역방식의 수출**

수출계약서 사본, 외화입금증명서

□ **내국신용장 또는 구매확인서에 의한 공급**

내국신용장, 구매확인서 사본, 외국은행이 발행하는 수출대금입금
증명서

□ **국외에서 제공하는 용역**

외국환은행이 발행하는 외화입금증명서, 국외에서 제공하는 용역
에 관한 계약서

□ **선박 또는 항공기의 외국항해용역**

외국환 은행이 발행하는 외화입금증명서

영세율 증명서류를 제출하지 않은 경우에도 영세율 적용대상이
확인되면, 영세율 적용이 가능합니다.

단, 이 경우 영세율과세표준신고불성실가산세(공급가액의 1%)를 내
야 합니다.

면세사업자

면세전용

사업장을 임차하는 게 아니라 신규분양을 받을 경우, 부가가치세 환급을 받기 위해 임대업으로 사업자등록을 하면 해당 건물분에 대해 부가가치세 환급을 받을 수 있습니다.

그러나 그 건물에서 학원 같은 면세사업을 할 경우는 문제가 생깁니다. 면세사업자이기 때문에 분양받은 건물에서 학원을 운영한다면 환급받은 부가가치세는 다시 납부를 해야 합니다.

면세사업자는 부가가치세를 면제받기에 적격증빙을 수취하여도 매입세액을 공제받지 못하고 환급을 받을 수도 없습니다.
이를 세법에서는 '면세전용'이라고 합니다.

상가를 신규분양을 받는 경우 대부분의 분양사무소에서는 부가가치세 환급을 많이 강조하는데 학원 같은 면세사업은 해당 사항이 없으므로 자금 계획 시 반드시 고려해야 합니다.

기존 사업장을 인수할 때도 건물 신축일로부터 10년 이내일 경우에는 남은 기간에 대한 부가가치세를 환수하니 주의해야 합니다.

예를 들어, 2016년 3월에 완공한 사업장을 2020년 3월에 구입한 뒤 학원으로 사용하는 경우에는 매도자가 환급받은 부가가치세 중 남은 기간인 약 6년에 대한 부가가치세를 환수 당할 수 있으니 주의해야 합니다.

미용학원 교재 판매,
부가가치세 면세 여부

미용학원을 운영하는 초보원장님, 수강생에게 받은 돈은 '수강료+교재비'로 구성이 됩니다.

교재는 별도로 판매하지 않으며 헤어과정, 메이크업과정 등 각 과정에서 필수적인 교육재료이기 때문에 수강할 때만 제공하고 있습니다.

초보원장님

학원의 경우 수강료와 재료비의 비율이 7:3 정도 되는데, 학원이 면세사업장이므로, 재료비 또한 면세 처리가 되는 건가요?

택스 코디

정부의 허가 또는 인가를 받은 학교, 학원, 강습소, 훈련원, 교습소 등은 부가가치세법 제12조 제1항 제5호에 규정하는 교육용역으로서 부가가치세가 면제되는 것으로, 위 사례와 같이 해당 수업과 관련된 교재와 재료비를 받는 대가도 면세대상에 해당합니다.

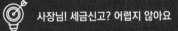

사장님! 세금신고? 어렵지 않아요

면세사업자

사업장현황신고 ②

면세사업자는 부가가치세를
납부하지 않나요?

흔히 병/의원, 학원, 농·축·수산물 판매업, 대부업, 주택임대업 등의 사업을 운영하는 사업자를 면세사업자라 하고 부가가치세 신고는 하지 않습니다.

대신 사업장의 현황신고라 하여 매년 2월 10일까지 전년도 매출, 매입처별 계산서 합계표와 사업장 현황신고서를 제출합니다

이유는 부가가치세 신고를 하지 않기에 국가에서는 면세사업자의 소득을 책정할 수 없기 때문이죠.

그런 이유로 면세사업자의 사업장현황신고서의 수입금액이 종합소득세 신고 시 과세표준이 됩니다.

주의할 점은 사업장현황신고 시 수입금액을 3,000만 원이라고 하였는데, 종합소득세 신고 시 수입금액을 2,000만 원이라 신고하면 국세청에서 소명요청이 들어오니 꼭 주의해야 합니다.

면세사업자의 사업장현황신고는 과세사업자의 부가가치세 신

고와 비교하였을때 납부를 하지 않는다는 차이가 있을 뿐입니다.

드러난 매출은 필히 다 신고를 해야 하고, 매입 역시 꼼꼼히 처리해야 추후 종합소득세 신고 시 세금이 줄어듭니다.

신고만 하고 납부를 하지 않는다 하여 대충 신고를 하는 경우가 많이 있습니다. 부가가치세 신고 하듯이 꼼꼼히 처리해야 합니다.

면세사업자 세금신고 간단 정리

학원과 같은 면세사업자의 가장 중요한 세금은 '종합소득세'입니다.

물론 사업장현황신고도 해야 하고, 인건비 신고도 해야 하고, 직원의 연말정산도 해야 하고, 4대보험도 신고해야 하지만 가장 중요한 세금은 종합소득세라고 해도 과언이 아닙니다.

저는 세무사에게 맡겨서 괜찮아요.

많은 사업자가 이렇게 말을 하는데 세무대리인을 고용하더라도 세금에 대한 기초를 꼭 알아야 합니다. 말 그대로 세무대리인들은 대리인의 역할을 하고 사업주가 세금 신고의 주체이기 때문입니다.

그럼 면세사업자가 알아야 하는 세금 신고에는 어떤 것이 있는가를 간단히 살펴보겠습니다.

사업장현황신고는 매년 2월 10일까지 해야 합니다.

학원과 같은 면세사업자가 매년 2월 10일까지 전년도 사업실적 및 사업현황에 대한 신고를 해야 하는데 이를 사업장현황신고라고 합니다. 사업장현황신고는 매출신고가 가장 중요하며 추후 종합소득세 수입금액 산정의 기준이 됩니다.

직원이 있는 경우라면 인건비 신고는 매월 10일까지 신고, 납부를 해야 합니다.

직원의 급여를 지급하기 전에 세금을 미리 떼는 것을 원천징수라고 합니다. 인건비 신고는 원천징수 내역을 세무서에 신고, 납부를 하는 것으로 이를 '원천징수이행상황신고'라고 합니다. 줄여서 '원천세신고'라고도 합니다.

인건비를 종합소득세 신고 시 필요경비로 처리하기 위해선 원천세신고가 반드시 선행되어야 합니다.

지급명세서 제출을 해야 합니다.

원천세신고는 상세 내역이 들어가지 않습니다. 그러므로 1년 동안 누구에게 얼마를 지급했는가를 세무서에 신고하는 제도로 매년 3월 10일(상용근로자는 1월, 7월)까지 지급명세서를 제출해야 합니다. 지급조서라는 표현을 쓰기도 합니다.

2 사업장현황신고

종합소득세 신고는 매년 5월 31일까지 해야 합니다.

면세사업자 세금 신고 중 가장 중요한 신고이고 종합소득세 신고를 함으로써 지난 1년 동안 세금업무가 마감됩니다.

연 매출이 일정 금액을 초과할 경우(학원은 5억 원이 넘는 경우), 성실신고대상자로 분류되면 6월 30일까지 신고를 해야 합니다.

면세사업자의 사업장현황신고

면세사업자의 사업장현황신고는 과세사업자의 부가가치세 신고와 비교를 하면 납부만 하지 않는다는 차이가 있을 뿐입니다.

과세기간은 전년도가 되고 신고기간은 해당연도 2월 10일까지입니다. 즉 2019년 매입, 매출을 2020년 2월 10일까지 사업장현황신고를 해야 합니다.

사업장현황 신고서에는 아래와 같은 내용이 기재 됩니다.

□ **수입금액**(매출액) **내역 및 수입금액 구성명세**

□ **매입 금액 내역**

□ **기본 사항** : 시설 현황 및 종업원 수

□ **기본 경비** : 임차료, 인건비, 기타 경비 등

국세청에서는 매년 2월 초에 있을 사업장 현황신고와 관련해서

보통 1월 중순경 안내문을 발송합니다.

이 안내문은 총 6개 유형으로 나뉘며, '가-유형'의 안내문을 받은 사업자는 사업장현황신고 시 매우 주의가 필요합니다.

가-유형 안내문은 전년도 종합소득세 신고 대비 수입금액 과소신고사업자, 신용카드 등 비율이 높은 사업자, 현금비율이 낮은 사업자에 선년도 신고분석 자료를 제공하고 신고 시 유의사항을 추가로 제공합니다.

국세청에서는 홈택스를 통해서도 신고도움서비스를 제공하고 있습니다. 이는 신고 시 반드시 살펴봐야 할 내용으로 국세청 홈택스에서 확인 가능합니다.

사업장현황신고서 작성 예시

부가가치세가 면제되는 면세사업자 중 개인사업자는 1년간의 수입금액 및 사업자현황(인적사항, 시설 현황 등)을 기한 내에 관할 세무서에 신고해야 합니다. 이를 사업장현황신고라고 합니다.

사업장현황신고기간은 과세기간 다음 해 2월 10일까지입니다. 폐업 또는 휴업한 경우는 폐업 또는 휴업신고와 함께 사업장현황신고서를 제출해야 합니다.

■ 사업장현황신고서 작성법

사업장현황신고는 사업자의 인적사항, 수입금액명세, 시설 현황, 비용 내역 등 사업장의 지난 1년간의 운영내용 및 제반 현황과 관련된 사항을 신고하는 제도입니다.

홈택스에서 신고도 가능합니다.

과세기간		년 월 일 ~		년 월 일	
사업자	상호		사업자등록번호	공동사업 [ ]여 [ ]부	
	성명		주민등록번호		
	사업장소개지			전화번호	
	전화번호		휴대전화	전자우편주소	

사업자의 기본 사항을 적는 표입니다. 사업자의 과세기간 및 사업자 기본 사항을 기재합니다.

수입금액(매출액) 내역   단위 : 원

업태	종목	업종코드	합계	수입금액	수입금액제외
(1)					
(2)					
(3)					
합계					

수입금액(매출액)에 관한 내용으로, 사업장현황신고 시 가장 중요한 항목입니다.

학원의 경우라면 업태는 교육서비스업, 종목은 학원별로 보습학원, 입시학원 등으로 기재합니다. 업종코드는 기재하지 않아도 상관없습니다.

수입금액은 과세기간(전년도)의 총수입금액을 적으면 됩니다. 총수입금액은 아래의 수입금액 결제수단별 구성 명세표의 합계금액

면세사업자

과 일치해야 합니다.

고정자산을 매각한 경우에는 해당 금액은 수입금액제외란에 기재합니다.

수입금액(매출액) 결제수단별 구성명세				단위 : 원
합계	신용카드 매출	현금영수증 매출	그 밖의 매출	
			계산서발행금액	기타매출

수입금액을 결제수단별로 기재합니다. 현금으로 수취했으나 현금영수증을 발행하지 않은 매출은 기타매출 칸에 기재합니다.

정규증빙(계산서, 세금계산서, 신용카드) 수취금액					단위 : 원
합계	매입 계산서		매입 세금계산서		신용카드, 현금영수증 매입금액
	전자계산서	전자계산서 외	전자세금계산서	전자세금계산서 외	

과세기간(전년도)에 정규증빙인 세금계산서, 계산서, 신용카드 등을 수취한 금액을 기재합니다.

기본사항(과세기간 종료일 현재)　　　　　　　　　　단위 : ㎡, 원, 대, 명

시설현황				종업원 수
건물면적(전용면적)	임차보증금	차량	그 밖의 시설	

　과세기간이 끝나는 12월 31일을 기준으로 현재 사업장의 기본사항을 기재합니다.

　임차보증금은 임대차계약서를 기준으로 기재하고, 차량 및 그 밖의 시설은 사업과 관련된 차량 및 시설의 가액을 기재합니다. 종업원 수에는 사업소득자인 직원(3.3%를 원천징수하는 프리랜서)의 경우에는 해당 인원수에서 제외합니다.

기본경비(연간금액)　　　　　　　　　　　　　　　　　　단위 : 원

합계	임차료	매입액	인건비	그 밖의 경비

　사업을 운영하면서 제출한 기본 경비를 기재합니다. 사업주가 장부를 작성하지 않고 종합소득세 신고를 기준경비율로 추계신고하는 경우에는 임차료, 매입액, 인건비는 필요경비 처리가 되므로 해당 금액을 정확히 기재해야 합니다.

　학원의 경우 매입액은 교재를 구입한 비용은 포함하되 차량운반구, 시설장치 등은 포함되지 않습니다.

면세사업자

3.3%를 공제하는 프리랜서 직원의 경우에는 인건비에 해당하지 않으므로 그 밖의 경비에 기재해야 합니다.

공동사업자의 수입금액 부표			
상호		사업자등록번호	
수입금액 분배내용			
공동사업자		분배비율(%)	수입금액(원)
성명	주민등록번호		
성명	주민등록번호		
	합계		

공동사업자인 경우에만 작성합니다.

사업자등록증상 공동사업자의 인적사항을 기재한 후 공동사업 계약서상 분배비율에 맞춰 수입금액을 분배하여 기재합니다.

사업장현황신고를 하지 않으면?

　면세사업자가 사업자현황신고를 하지 않더라도 세법상 가산세
는 부과되지 않습니다.

　그러나 사업장현황신고를 하지 않으면 관할 세무서 혹은 지방
국세청장이 사업장 현황을 조사, 확인할 수 있으므로 신고는 해야
합니다.

　아래의 경우에는 사업장 현황의 조사, 확인의 사유가 됩니다.

　□ 사업장현황신고서를 제출하지 않은 경우

　□ 사업장현황신고서 내용 중 시설 현황, 인건비, 수입금액 등 기
　　본 사항의 중요 부분이 미비하거나 허위라고 판단되는 경우

　□ 매출, 매입에 관한 계산서 수수 내역이 사실과 현저하게 다
　　르다고 인정되는 경우

□ 사업자가 그 사업을 휴업 또는 폐업한 경우

사업자의 수입금액은 그 사업자가 비치하고 있는 장부, 기타 증빙서류에 의해 산정함을 원칙으로 합니다.

만약 사업자의 수입금액을 장부, 기타 증빙서류에 의해 계산할 수 없는 경우라면 동일업종 등의 내용 및 현황 등을 참고하여 계산한 금액으로 합니다.

사장님! 세금신고? 어렵지 않아요

면세사업자

종합소득세 ③

종합소득세 신고 관련 안내문

　국세청에서는 종합소득세 신고를 앞두고 신고와 관련한 안내문을 각 사업자에게 발송합니다. 사업주의 주소지로 발송이 되는데 안내문을 받았으면 잘 확인해야 하고 아래의 1, 2번에 해당하는 사업자는 반드시 세무대리인을 통해 신고해야 합니다.

1 개별관리대상자

　신고성실도 허위자 및 불성실 신고자의 경우 개별관리대상자로 지정하여 집중관리를 합니다. 이런 안내문을 받았으면 반드시 성실신고를 해야 합니다.

2 A 유형

　A유형 사업자는 자료상 과의 거래자, 조사 후 소득률 하락자 등

면세사업자

7가지 유형으로 나뉘는데 이 경우에도 반드시 성실신고를 해야 합니다.

ㅁ 조사 후 신고소득률 하락

조사 후 신고소득률이 크게 하락한 사업장으로 세무조사가 끝났다고 불성실하게 신고를 하면 분류가 됩니다.

ㅁ 가공인건비 계상 혐의자

인건비 등을 가공계상한 혐의가 있는 사업장에 대한 안내문으로 매출대비 급여의 과대계상 등의 혐의가 있다고 판단되는 경우입니다.

ㅁ 기타 경비 문제사업자

일정매출액 이상인 사업자 중 기타 경비가 많이 계상된 사업자에 대한 안내문으로 소득세 신고 시 허위, 과대 비용을 계상하지 않도록 주의해야 합니다.

ㅁ 소득금액조절혐의자

인위적으로 소득금액을 조절하는 경우가 없도록 주의해야 합니다.

③ 종합소득세

□ **계산서 수수질서 문란자**

이런 안내문을 받았으면 허위 매입계산서를 수취하여 가공 경비를 계상하지 않아야 합니다.

❸ B 유형

기장신고자, 전년도에 기장신고를 한 사업자, 추계대상자가 아닌 한 당해연도에도 기장신고를 해야 합니다.

❹ C 유형

금년도 복식부기대상자 중 전년도 추계신고를 한 사업자, 당해연도에는 복식부기로 신고를 해야 합니다.

❺ D 유형

금년도 기준경비율 신고가 가능한 사업자

❻ E 유형

사업장이 2개 이상이거나 사업소득, 부동산소득이 함께 발생하

는 사업자

7 F 유형

금년도 단순경비율 신고가 가능한 사업자

8 G 유형

금년도 단순경비율 신고가 가능하나 세액계산은 제외되어 있어서 본인이 직접 계산해야 하는 사업자

학원(면세사업자)의 종합소득세 계산법을 간단히 정리하면,

수강료 수입 - 운영비용 = 순이익

위의 공식에서 순이익에 세율을 곱하여 계산됩니다.

많은 사업자가 매출액(수강료 수입)을 기준으로 세금을 계산하는 것으로 알고 있는데, 종합소득세는 순이익(번 돈 - 벌기 위해 쓴 돈)을 기준으로 계산됩니다.

세법에서 수강료 수입은 수입금액(번 돈)이라 하고 운영비용은 필요경비(벌기 위해 쓴 돈), 순이익은 소득금액이라고 합니다.

운영비용을 인정받기 위해서 증빙을 갖추고, 장부를 작성하는 것입니다.

앞서 살펴보았던 추계신고는 장부를 작성하지 않아도 정해진 비율만큼 필요경비를 인정해 준다는 의미입니다.

면세사업자도 장부를 작성해야 합니다.

면세사업자도 세법상 사업자이므로 사업자의 의무를 다해야 합니다. 그런 이유로 장부를 작성해야 합니다.

객관적인 증빙을 근거로 그 내용에 관한 거래 사실을 장부에 기록을 해야 비용으로 인정받을 수 있습니다.

과세사업자와 마찬가지로 간편장부대상자와 복식부기의무자로 나뉩니다.

학원은 교육서비스업에 해당하기 때문에 직전년도 수입금액이 7,500만 원을 초과하면 복식부기의무자가 됩니다.

장부 작성의 기준이 되는 직전년도는 장부 작성을 하는 해의 전년도를 말합니다.

가령 2019년 수입금액이 1억 원, 2020년 수입금액은 7천만 원인 학원이 2021년 종합소득세를 신고할 때는 2019년 수입금액이 7천5백만 원을 초과했으므로 2020년 장부는 복식부기로 작성을 해야 합니다.

　반대로 2019년 수입금액이 7천만 원, 2020년 수입금액은 1억 원인 학원이 2021년 종합소득세를 신고할 때는 2019년 수입금액이 7천5백만 원 미만이므로 2020년 장부는 간편장부로 작성을 해도 됩니다.

 초보원장님

　2020년에 학원을 개원하였고 매출은 1억 원이 발생했습니다. 그럼 복식부기의무자인가요?

 택스 코디

　장부 작성의 기준이 되는 2019년 수입금액이 없으므로 2020년 학원을 신규로 개원한 경우에는 2021면 종합소득세 신고는 간편장부대상자가 됩니다.
　단 학원이 법인이라면 무조건 복식부기의무자가 됩니다.

사업장의 장부 유형

우리 사업장은 간편장부일까? 복식부기일까?

세법상 장부는 복식부기를 원칙으로 합니다. 하지만 모든 사업자에게 복식부기의 의무를 무조건으로 하기엔 사업 운영에 부담을 줄 수 있으므로 신규사업자 및 일정 규모 이하의 소규모 사업자는 간편장부로 작성을 해도 기장을 한 것으로 인정하고 있습니다.

개인사업자의 장부 유형은 간편장부대상자와 복식부기의무자로 나누어지고 기준은 다음과 같습니다.

[개인사업자의 업종에 따른 수입금액으로의 장부 작성 기준]

업종	간편장부대상자	복식부기의무자
농업,임업,어업,광업,도매 및 소매업, 부동산매매업 (제122조 제1항) 등	3억 원 미만자	3억 원 이상자

제조업,숙박업,음식점업,전기/가스/증기 및 수도사업, 하수/폐기물처리 및 환경복원업,건설업, 운수업,출판/영상/방송통신 및 정보서비스업, 금융및 보험업,상품중개업 등	1억5천만 원 미만자	1억5천만 원 이상자
부동산임대업,부동산관련 서비스업,임대업,전문과학 및 기술 서비스업,교육서비스업,보건업 및 사회복지서비스업, 개인 서비스업 등	7천5백만 원 미만자	7천5백만 원 이상자

단, 전문직사업자(의사, 변호사, 세무사 등)는 무조건 복식부기의무자입니다.

가령 학원의 경우라면 작년 수입금액이 7,500만 원 미만이거나 작년에 신규로 개원을 하였다면 간편장부대상자가 되는 것입니다.

간편장부대상자이더라도 복식부기로 장부를 작성하여 신고가 가능합니다.

간편장부대상자가 복식부기 방식으로 신고하는 경우에는 기장세액공제를 받을 수 있습니다. 기장세액공제 금액은 세액의 20%(한도 100만 원)입니다 간편장부대상자에 해당하지 않는 사업자는 모두 복식부기로 장부를 작성해야 합니다. 복식부기의무자가 간편장부를 작성해서 신고하면 장부를 작성했음에도 무기장가산세가 발생합니다.

 초보원장님

무기장가산세는 무엇인가요?

 택스 코디

무기장가산세는 수입금액이 연 4800만 원이 넘는 사업자가 장부를 기록하지 않는 경우에 산출세액의 20%를 가산세로 부과하는 것을 말합니다.

수입금액이 연 4,800만 원 미만인 사업자의 경우에는 장부를 기록하지 않아도 불이익은 없으나, 이 금액을 초과하는 사업자는 무기장가산세를 부담해야 합니다.

추계신고 기준경비율을 적용받는 사업자 중 4,800만 원 이상의 수입금액이 발생한 경우에도 무기장가산세 20%가 발생합니다.

장부 작성이 중요한 이유

흔히 말하는 기장이란 장부를 작성하는 것을 뜻합니다. 기장은 사업을 하는 사람은 누구나 다 해야 하는 기본 의무입니다.

간편장부대상인지 복식부기대상인지에 따라 기장을 하고 안 하고의 문제가 아니라, 사업을 하는 순간 당연히 해야 하는 일입니다.

장부를 작성해야 사업을 해서 과연 얼마만큼 수익을 내는지, 잘 못 운영하는 부분이 무엇인지가 확인이 가능해집니다.

근데 이 기장이란 용어가 언제부터인가 세무대리인만이 가능한 것처럼 잘못 인식되어 버렸습니다. 기장은 어려운 게 아니고 사업을 함에 있어 얼마만큼의 매출을 올린 건지, 또 그 매출을 올리기 위해 지출은 얼마를 하였는가를 사업자가 잘 기록, 관리해서 언제라도 그 장부를 보고 즉시 확인이 되면 기장의 본 목적은 충분히 잘 살린 것입니다.

장부를 적고 있지 않다면 지금부터라도 장부관리를 시작해야 합니다.

세법에서는 장부를 기장 해야 받을 수 있는 혜택을 정해놓고 있습니다.

세무회계의 관점에서는 사업자가 기록한 실제 소득에 따라 소득세가 적자(결손)가 발생한 경우 10년간 소득금액에서 공제할 수 있습니다.(부동산임대사업소득에서 발생한 이월결손금은 해당 부동산임대사업소득에서만 공제 가능합니다.)

감가상각비, 대손충당금, 퇴직급여충당금 등을 필요경비로 인정받을 수 있습니다.

장부를 기장 하지 않은 경우엔 결손금, 감가상각비, 대손충당금, 퇴직급여충당금 등이 인정되지 않습니다.

관리회계의 관점에서는 장부 기록을 해야만 정확한 수익, 비용이 산출됩니다. 사업장의 정확한 손익분기점 매출액이 계산됩니다. 더불어 가격이 이렇게 변하면 한계이익은 이런 식으로 변한다는 이익 시뮬레이션을 통해 이익을 낼 수 있는 상황을 정확하게 예측할 수가 있습니다.

장부를 기장 하지 않았을 때의 불이익은 아래와 같습니다.

세무회계의 관점에서는 적자(결손)가 발생해도 인정을 받을 수 없습니다.

무기장가산세 20%를 추가로 부담해야 합니다.

관리회계의 관점에서는 정확한 계산으로 예상되는 매출을 파악
해서 하는 할인이 아니기에 매출이 늘어남에도 적자가 발생하는
결과를 초래할 수도 있습니다.

간편장부대상자 종합소득세 신고

　장부를 작성하지 않는 추계신고는 프리랜서의 세금실무를 다룬 장에서 살펴보았고, 이번 장에서는 장부를 작성한 경우에 대해 알아보겠습니다.

　종합소득세를 계산하고 신고하는 방법은 동일합니다. 장부를 작성한 경우에는 장부에 기록된 사업에 관련한 모든 지출은 경비 처리가 가능합니다.

1 간편장부를 기장을 한 경우 종합소득세 신고 절차

① 간편장부 기장

　매일 매일의 수입과 비용을 간편장부 작성 양식을 통해 기록합니다.

② 총수입금액 및 필요경비명세서 작성

간편장부 상의 수입과 비용을 총수입금액 및 필요경비명세서의 장부상 수입금액과 필요경비 항목에 기입합니다.

③ 간편장부 소득금액계산서 작성

총수입금액 및 필요경비명세서에 의해 계산된 수입금액에서 필요경비를 차감하여 소득금액을 계산합니다.

④ 종합소득세 신고서 작성

간편장부 소득금액계산서에 의한 소득금액을 종합소득세 신고서에 기입합니다.

간편장부를 작성한 경우에는 관련 증빙을 소득세 확정신고기한이 지난날부터 5년간 보관해야 합니다.

간편장부대상자가 간편장부를 작성하지 않으면 적자(결손)가 발생해도 인정받지 못하고, 무기장가산세가 20% 부과됩니다.

국세청에서는 소규모 개인사업자들의 세무 업무 부담을 덜어주기 위해서 전문적인 세무, 회계지식이 없이도 쉽게 작성할 수 있는 장부를 보급하게 되었는데 그것이 바로 간편장부입니다. 간편장부는 어떻게 작성하는가를 살펴볼까요.

❷ 간편장부 작성법 예시

① 일자	② 거래 내용	③ 거래처	④ 수입 (매출)		⑤ 비용 (원가 관련 매입 포함)		⑥ 고정자산 증감		⑦ 비고
			금액	부가세	금액	부가세	금액	부가세	
1/5	교재 매입				50만 원				계
1/6	거래처 접대	가나 갈비			5만 원				신카
1/10	급여	김대리			90만 원				
1/12	비품구입	가나 유통			3만원				신카
1/15	운반비	가나 퀵 서비스			2만원				영
1/20	수강료		90만 원						신카

비고란의 세계는 세금계산서, 계는 계산서, 영은 영수증, 신카는 신용카드를 표기한 것으로, 거래 후 주고받은 증빙유형은 위와 같이 간단히 표시하면 됩니다.

고정자산은 1년 이상 사용되면서 보통 100만 원이 넘는 자산을 말하는 것으로, 예를 들어 2,200,000원 강의실 가구를 구입, 설치하였다면 다음과 같이 표시하면 됩니다.

③ 종합소득세

① 일자	② 거래 내용	③ 거래처	④ 수입 (매출)		⑤ 비용 (원가 관련 매입 포함)		⑥ 고정자산 증감		⑦ 비고
			금액	부가세	금액	부가세	금액	부가세	
2/10	가구 설치	가나 가구					2백 20만 원		신카

❸ 간편장부 작성요령

① **일자** : 거래일자순으로 수입 및 비용을 기록합니다.

② **거래내용**

  판매, 구입 등 거래 구분, 대금결제를 기록합니다. 1일 평균 매출 건수가 50건 이상인 경우엔 1일 총매출금액을 합산하여 기록해도 됩니다.

  매입과 관련한 비용은 건별로 모두 기록해야 합니다.

③ **거래처** : 거래처 구분이 가능하도록 기록합니다.

④ **수입**

  일반과세사업자는 매출액, 매출세액을 구분하여 금액, 부가세 칸에 기록합니다. 면세사업자는 부가가치세가 포함된 금액을 금액란에 기록하면 됩니다.

⑤ **비용**

세금계산서를 받은 경우에는 세금계산서(신용카드)의 공급가액과 부가가치세를 구분하여 금액과 부가세 칸에 기록합니다. 영수증 매입분은 매입금액을 금액란에 기록합니다.

⑥ **고정자산 증감**(매매)

건물, 자동차, 설비 등 고정자산의 매입액과 부대비용을 기록합니다.

⑦ **비고** : 거래 증빙유형과 재고액을 기록합니다.

간편장부대상자가 간편장부를 기초로 종합소득세 신고를 하면, 추계에 따른 무기장가산세가 적용되지 않습니다.

간편장부대상자가 복식부기로 신고를 하면 기장세액공제가 가능합니다.

복식부기의무자 종합소득세 신고

복식부기란 차변, 대변의 대차평균 원리에 따라 작성된 장부를 말합니다. 대차평균 원리란 한 거래를 대차 양변에 동시에 기입 하여 대, 차변의 각 합계가 일치되도록 하는 것을 말합니다.

만약 복식부기의무자가 간편장부로 장부를 작성한 경우에는 기장을 하지 않은 것으로 보아 무기장가산세가 부과됩니다. 그러기에 직전년도 수입금액을 사전에 파악하여 가산세 등의 불이익이 없도록 해야 합니다.

학원의 경우, 복식부기의무자 중에 직전년도 수입금액이 1억5천만 원 이상인 경우에는 외부조정대상자에 해당하여 세무사의 외부 검증을 받지 않았을 때는 무신고로 간주 됩니다.

면세사업자

초보원장님

복식부기의무자 입니다. 회계지식이 조금 있어 재무제표 작성이 가능한데 세무대리인을 고용해야 하나요?

 택스 코디

복식부기의무자일지라도 외부조정대상자로 구분되지 않으면 꼭 세무대리인을 써야 하는 것은 아닙니다.

최근에는 장부 관련 컴퓨터 프로그램이 잘 나와 있어서 회계지식이 없는 사업자들도 복식부기 장부를 관리할 수가 있습니다.

프로그램을 선택할 시 주의 사항은 기능이 너무 많은 프로그램은 선택하지 않아야 합니다. 기능이 많다는 것은 그만큼 프로그램 숙지가 어렵다는 뜻입니다. 그러므로 꼭 필요한 기능만 있는 단순한 프로그램을 선택하는 것이 나을 수 있습니다.

복식부기의무자로 판정되면 회계지식 없이는 장부 작성이 어렵기에 세무대리인의 도움을 받는 것을 권합니다.

초보원장님

회계사무실에 맡겨도 빠진 내역이 있는가 확인해야 하죠?
이번에 신고하려고 보니까 신고된 금액만 딸랑 왔길래
세부 내역을 보내달라고 했는데도 우리 회계사무실은 조용
하네요.

 택스 코디

회계사무실을 거래하면 신고 전 관련 증빙들을 요구합
니다.

예전에는 영수증 뭉치를 서류봉투 몇 개에 나눠 담아 주
기도 하였는데, 요즘은 세상이 편해져서 공인인증서를 공
유하면 전자세금계산서, 전자계산서, 신용카드·현금영수
증 등의 매입은 자동으로 홈택스에서 불러오기가 가능합니
다. 그런 이유로 제출할 서류가 어떻게 보면 수기세금계산
서 뿐입니다. 수기세금계산서 또한 사진을 찍어 카톡으로
보내주면 되니 어떻게 보면 제출할 서류가 없을 수도 있습
니다.

세무대리인을 고용하더라도 신고 전 제출한 증빙의 처리 유무를 확인해 봐야 합니다. 만약 사업에 관련한 지출이 처리되지 않았다면 왜 처리가 되지 않았는가를 알아보아야 합니다.

먼저 사업자 본인이 관련 증빙을 확인하고, 세무대리인이 위의 경우처럼 납부금액만 알려준다면 세부 내역을 보내 달라고 하여 확인하는 과정은 필수입니다.

믿고 못 믿고의 문제가 아닙니다. 사람이기에 누구나 다 실수를 한다는 것입니다.

그 실수가 고스란히 세금으로 돌아옵니다. 아무리 전문가가 대리 신고를 하였더라도 세부 내역을 확인하여 검증 작업을 하는 습관을 들여야 비싼 돈 주고 고용한 그들을 잘 부리게 되는 것입니다.

❸ 종합소득세

신규사업자는 추계신고가 가능하다.

　신규사업자는 직전연도 수입금액이 없으므로 모두 간편장부대
상자에 해당이 되며 아래 표의 금액을 기준으로 추계신고 시 단순
경비율, 기준경비율로 신고할 수 있습니다.

　그러나 의사, 약사, 변호사, 변리사, 세무사 등 전문직 사업자들
은 수입금액과 무관하게 단순경비율을 적용받을 수 없습니다.

[업종별 단순경비율 대상자의 구분]

업종	계속사업자 (직전연도 기준)	신규사업자 (해당연도 기준)
도매 및 소매업, 부동산매매업, 농업, 임업 및 어업, 광업, 등	6,000 만 원 미만	3 억 원 미만
제조업, 숙박업, 음식점업, 출판, 영상,방송통신 및 정보서비스업, 전기, 가스, 중기 및 수도사업, 하수, 폐기물처리, 원료재생 및 환경복원업, 건설업, 운수업, 금융 및 보험업, 상품중개업, 욕탕업	3,600 만 원 미만	1억5천만 원 미만

부동산임대업, 수리 및 기타 개인 서비스업, 부동산관련서비스업, 전문, 과학, 기술서비스업, 사업시설관리, 사업지원서비스업, 교육서비스업, 보건 및 사회복지서비스업, 예술, 스포츠 및 여가관련 서비스업, 협회 및 단체 등	2,400 만 원 미만	7천5백만 원 미만

2019년부터는 신규사업자와 계속사업자도 동일하게 과세년도 매출이 7,500만 원(학원일 경우) 이상이면 직전연도의 수입금액과 상관없이 추계신고 시 기준경비율로 적용됩니다.

장부를 작성하지 않았으면 수입금액을 기준으로 필요경비를 계산(추계신고)하는데, 수입금액이 커지면 커질수록 기장에 의한 신고보다 소득금액이 커지므로 세금이 많이 나오게 됩니다.

그리고 추계신고를 하는 경우 소득금액이 없음(적자)에도 세금이 계산되고 수입금액이 4,800만 원 이상일 경우에는 무기장가산세가 발생합니다.

소득금액은 추계신고(단순경비율, 기준경비율)와 장부에 의한 신고(간편장부, 복식부기)로 계산됩니다.

사업자는 수입금액에 따라 종합소득세 소득금액을 계산하는 방법을 사업자가 유리한 쪽으로 선택할 수 있습니다.

아래 표로 간단히 정리했습니다.

[학원 규모에 따른 종합소득세 신고 방법]

		단순경비율	기준경비율	간편장부	복식부기	성실신고
신규사업자		가능 (수입금액 7,500만 원 미만)	가능	가능	가능	해당없음
직전년도 수입금액	2,400만 원 미만	가능	가능	가능	가능	해당없음
	2,400만 원 초과 7,500만 원 미만	불가	가능	가능	가능	해당없음
	7,500만 원 이상 1억5 천만 원 미만	불가	가능	불가	가능	해당없음
	1억 5 천만 원 이상	불가	가능	불가	의무	해당없음
	5억 원 이상	불가	가능	불가	의무	의무

 초보원장님

성실신고는 무엇인가요?

 택스 코디

일정액 이상의 수입금액(매출액, 학원일 경우 5억 원)이 있는 개인
사업자가 종합소득세를 납부하기 전에 신고내용과 증빙서

류 등을 의무적으로 세무대리인에게 검증받도록 하는 제도를 성실신고확인제도라고 합니다.

이 제도를 도입한 목적은 과세당국이 일정 금액 이상 고소득 자영업자만이라도 세무대리인을 통하여 세금 탈루 행위에 대한 정밀한 확인을 하는 것입니다.

즉, 세무대리인이 국세청을 대신하여 세무검증을 하는 것입니다.

세무대리인은 매출누락, 가공 경비, 업무 무관 경비 등을 확인하고 지출비용에 대한 적격증빙 여부와 금액의 과다계상 여부를 확인합니다. 가공인건비, 회사소유 차량을 개인이 업무와 무관하게 사용하였는가 등의 업무 무관 경비도 확인합니다.

세무대리인이 이를 똑바로 처리하지 않으면 자격정지 등의 징계 조치를 받습니다.

성실신고확인대상자가 되면 5월에 종합소득세 신고를 하지 않고 6월에 종합소득세를 신고, 납부 합니다.

성실신고확인대상자는 세무대리인이 성실신고확인서라는 별도의 서식을 제출해야 합니다. 그러므로 세무대리인에게 지급하는 수수료 또한 늘어납니다.

2018년부터 순차적으로 기준 금액이 낮아지고 있습니다. 다음 표를 참고하세요.

[성실신고확인대상 사업자 기준 금액]

구분	농업, 도소매업 등	제조, 건설업 등	서비스업 등
2018 ~2019년	15억 원 이상	7익 5천만 원 이상	5억 원 이상
2020년 이후(예상)	10억 원 이상	5억 원 이상	3억 5천만 원 이상

그럼 이제부터 소득공제와 세액공제 그리고 어떤 지출이 비용으로 인정되는가를 살펴볼까요.

종합소득세 소득공제

수입금액에서 필요경비를 차감하면 소득금액이 계산됩니다. 소득금액에서 소득공제를 받으면 과세표준이 결정됩니다.

소득금액 − 소득공제 = 과세표준(공제된 소득, 세율을 적용하기 전 금액)

 초보원장님

작은 학원을 운영하고 있습니다. 장인, 장모를 부양하고 있었으나, 장인이 작년에 돌아가셨습니다. 올해 5월에 종합소득세 신고 시 작년에 돌아가신 장인도 부양가족공제를 받을 수가 있나요?

택스 코디

부양가족의 범위에는 배우자의 직계 존속도 포함이 됩니다.

과세기간중에 사망했으면, 이번 신고 시 공제가 가능합니다. 부양가족공제에 대해 좀더 살펴볼까요.

[세법상 부양가족공제 대상 구분]

관계	일반 명칭	연령 제한	생계 제한	소득 제한
직계 존속	아버지(계부), 어머니(계모), 조(외)부모, 증조(외)부모	만 60 세 이상인 자	생계를 같이 하는 부양 가족	연간 환산 소득 금액 100 만원 이하
직계 비속	자녀, 손자, 외손자	만 20 세 이하인 자		
형제 자매	동기간, 시누이, 시동생, 처남, 처제	만 20 세 이하, 만 60 세 이상인 자		
입양자	자녀	만 20 세 이하인 자		
장애인	모든 관계	연령제한 없음		

연간 환산 소득금액 = 총급여 - 비과세소득 - 근로소득공제

면세사업자

연간 소득금액 100만 원 이상인 맞벌이 부부는 서로 공제 대상에 포함되지 않습니다.

사업주의 직계 존속이 주거의 형편에 따라 별거하고 있는 경우에도 직계 존속이 독립된 생계 능력이 없어 사업주가 실제로 부양하고 있는 경우에는 기본공제를 받을 수 있습니다.

 초보원장님

부양가족으로 배우자, 자녀 3명(만20세 자녀 1명, 만20세 이하 자녀 2명), 부모님 두 분 모두 만 60세 이상입니다. 배우자는 연봉이 2,000만 원입니다. 기본공제를 얼마나 받나요?

 택스 코디

배우자를 제외한 모든 가족은 기본공제를 받을 수 있습니다.

배우자는 총급여액이 500만 원 이상이므로 제외됩니다.

따라서 150만 원 × 6명(본인, 부모님 2분, 자녀 3명) = 900만 원을 기본공제 받을 수 있습니다.

초보원장님

이혼한 부인이 생계를 같이 하고 있는데, 이런 경우는 소득공제를 받을 수 있나요?

택스 코디

질문의 경우에는 생계를 같이하고 있어도 공제대상에서 제외가 됩니다.

추가공제에 대해서도 살펴볼까요.

１ 경로우대자 공제 : 1인당 100만 원

기본공제 대상자가 70세 이상인(1949년 12월 31일 이전 출생, 2020년 5월 신고 기준) 경우

２ 장애인 공제 : 1인당 200만 원

장애인복지법에 따른 장애인, 국가유공자 등 예우 및 지원에 관한 법률에 의한 상이자 및 이와 유사한 자로서 근로 능력이 없는

자, 항시 치료를 요하는 중증환자, 장애아동복지지원법에 따른 발달재활 서비스를 지원받고 있는 장애아동

❸ 부녀자 공제 : 1인당 50만 원

사업주가 여성, 기혼, 종합소득금액 3천만 원 이하라면 무조건 공제가 가능하고, 미혼이라면 종합소득금액 3천만 원 이하면서 부양가족이 있는 세대주라면 가능합니다.

❹ 한부모 소득공제 : 100만 원

배우자가 없는 사업주가 기본공제대상자이면서 직계비속 또는 입양자가 있는 경우면 100만 원을 공제받을 수 있습니다.
부녀자 공제와 중복되는 경우에는 한부모 소득공제만 적용됩니다.

국민연금보험료는 전액 공제가 됩니다. 만약 종합소득금액을 초과한 경우에는 초과하는 금액은 없는 것으로 합니다. 이월결손금처럼 다음 해로 이월되지는 않습니다.

노란우산공제에 가입하여 납부한 공제부금에 대해서는 최대 500만 원까지 공제가 가능합니다.

건강보험료 등 보험료 공제, 신용카드 등 사용액 공제, 주택자금관련공제, 장기집합투자증권저축공제 등은 근로소득자만 받을 수 있으므로 사업소득자일 경우에는 해당 사항이 없습니다.

면세사업자

종합소득세 세액공제

앞장에서 살펴본 소득공제는 소득금액에서 일정 금액을 공제해 주는 것을 말합니다.

세액공제는 과세표준(소득금액 - 소득공제)에서 세율을 곱해서 나온 산출세액에서 일정 금액을 빼주는 것입니다.

즉 소득공제를 받고 나서 세율을 곱하면 산출세액이 결정됩니다.

과세표준 × 세율 = 산출세액

이렇게 계산된 산출세액에서 세액공제를 받으면 종합소득세가 계산됩니다.

가령 소득금액이 5,000만 원이면 24%의 세율이 적용되는데 소득공제를 500만 원을 받으면 4,500만 원이 과세표준이 되어 15%의 세율이 적용됩니다. 그러면 산출세액이 675만 원이 되고, 여기서 세액공제를 200만 원을 받았다면 납부할 세액은 475만 원이 되는 것입니다.

그러면 세액공제 항목엔 어떤 것이 있는가를 살펴볼까요?

➊ 자녀세액공제

기본공제대상자에 해당하는 자녀(입양자 위탁아동 포함)가 있는 경우에 자녀가 1명이면 15만 원을 세액공제하고, 2명이면 30만 원을 세액공제를 받을 수 있습니다.

3명 이상일 경우 2명을 초과한 1인당 30만 원씩 추가됩니다.

가령 자녀가 3명이라면 60만 원, 4명이면 90만 원, 5명이면 120만 원을 세액공제를 받습니다.

➋ 6세 이하 자녀세액공제

기본공제대상자에 해당하는 6세 이하 자녀가 있는 경우에 세액공제 금액은 (6세 이하 자녀 수 - 1) × 15만 원입니다.

❸ 출산입양세액공제

공제대상은 해당 과세기간에 출생, 입양을 신고한 경우입니다. 세액공제금액은 첫째 30만 원, 둘째 50만 원, 셋째 이상인 경우 연 70만 원을 산출세액에서 공제해 줍니다.

❹ 연금저축세액공제

사업자 본인 명의로 2000. 1. 1 이후에 연금저축에 가입한 경우

연간납입액(400만 원 한도) **× 12%**

종합소득세 신고는 장부 작성에 의한 신고를 원칙으로 합니다. 여기서 말하는 장부란 복식부기에 의한 장부를 말합니다.

사업의 규모가 작은 사업자가 기록한 간편장부도 장부 신고로 인정하고 있는데, 만약 간편장부대상자가 간편장부가 아닌 복식부기 방식으로 종합소득세 신고를 하면 '기장세액공제'를 받을 수 있습니다.

기장세액공제는 사업소득만 있는 경우에는 세액의 20%(1백만 원 한도)를 공제해 주며, 만약 다른 소득이 있다면 기장을 한 소득비율의 20%(1백만 원 한도)를 공제해 줍니다.

기장세액공제 금액의 계산법은 아래와 같습니다.

기장세액공제 금액

= 산출세액 × 기장신고 소득금액 / 종합소득금액 × 20%

면세사업자

필요경비 처리, 비용인정의 기본 요건

앞서 살펴본 것처럼 종합소득세를 줄이기 위해서는 필요경비, 소득공제 항목, 세액공제 항목이 많아야 합니다.

그중에서 가장 큰 필요경비, 즉 사업에 관련된 비용은 전부 다 인정이 되는 걸까요?

비용으로 인정받기 위해서는 몇 가지 조건이 충족되어야 합니다.

종합소득세신고에 있어 비용은 매우 중요합니다. 세금은 번 돈이 아닌 번 돈에서 벌기 위해 쓴 돈(비용)을 차감한 순수익을 기준으로 계산되기에 비용이 많으면 많을수록 줄어드는 구조입니다.

사업을 운영하다 보면 인건비, 임대료, 재료비, 카드수수료 등 수많은 비용을 지출하는데 사업 운영과 관련된 지출이라면 일단 비용으로 봐도 무방합니다.

그런데 비용으로 인정받기 위해서는 다음 세 가지의 기준을 동시에 충족해야 합니다.

❶ 사업 운영과 관련된 비용이어야 합니다.

❷ 해당 비용 지출에 대한 증빙(종합소득세는 소명용증빙이더라도 비용으로 인정)을 수취해야 합니다.

❸ 증빙을 기준으로 장부를 작성해야 합니다.

세법에서는 비용을 필요경비라고 합니다. 앞서 예기했듯이 사업 운영과 직간접적으로 관련되어 있어야 비용으로 인정을 받을 수 있습니다.

그러므로 같은 식당에서 같은 음식을 먹어도 직원들과 회식을 한 것이라면 비용으로 인정이 되고, 가족과 식사를 한 것이면 이는 비용으로 인정받을 수 없습니다. 이에 대한 입증은 납세자인 사업주에게 있습니다.

 초보원장님

사업자가 필요경비로 인정받을 수 있는 항목, 필요경비로 인정되지 않는 항목을 구분해주세요.

택스 코디

아래와 같습니다.

1 대표적인 필요경비로 인정되는 비용

① 수입금액을 얻기 위해 직접 쓰인 원료나 급료, 수선비 등

② 사업과 관련한 각종 보험료

사업주 개인적으로 든 건강보험료는 인정되지 않습니다.

③ 이자 비용

개인에게 자금을 융통한 경우는 소정의 세액을 원천징수하여 신고, 납부해야 가능합니다.

④ 감가상각비 또는 충당금 설정금액

2 대표적으로 필요경비로 인정되지 않는 비용

① 가사 관련 지출 경비

② 소득세, 벌금, 과태료, 세법에서 정한 가산금과 체납 처분비 등

③ 사업과 관련이 없다고 인정되는 금액

인건비 비용처리

직원에게 지급하는 급여는 인건비로 비용처리가 가능합니다. 인건비는 사업 관련 지출 중에서 큰 부분을 차지합니다. 그러나 단순히 급여를 지급했다고 비용처리가 되는 것이 아니라 세법에서 정한 의무를 다해야 합니다.

인건비를 지급하고 필요경비로 처리하기 위해서는 원천세를 신고, 납부해야 하고 지급명세서를 제출해야 합니다.

원천세신고는 급여를 지급할 때 세금을 제한 후 급여를 지급하고, 급여를 지급한 다음 달 10일까지 신고, 납부를 해야 합니다.

상시근로자수가 20인 이하인 소규모 사업자는 반기별 납부를 신청하면, 반기별로 납부가 가능합니다. 반기별 승인 신청은 6월과 12월에 신청 가능합니다.

지급명세서란 직원별로 1년간 지급한 총금액과 징수한 세금이 얼마인지 정리하여 분기 말일의 다음 달 10일 또는 1월과 7월, 다음

연도 2월 말 또는 3월 10일까지 제출해야 하는 서류를 말합니다.

일용직 직원이라면 2019년부터 분기의 마지막 달의 다음 달 10일까지 지급명세서를 제출해야 합니다.

기타소득, 이자 및 배당소득 등은 다음 연도 2월 말까지 제출해야 합니다.

근로소득, 퇴직소득, 사업소득의 경우는 다음 연도 3월 10일까지 제출해야 합니다.

상용근로자는 1월과 7월에 지급명세서를 제출합니다.

이 두 가지 서식(원천세신고, 지급명세서 제출)을 제출하지 않고 비용을 인정받으려면 인건비의 1%의 가산세가 발생합니다.(기한 경과 후 3개월 이내에는 0.5%)

인테리어 비용,
세금계산서를 받지 못했을 경우 비용처리

 초보원장님

인테리어 업자가 학원 같은 면세사업자는 어차피 부가세 매입세액공제를 받지 못하니, 세금계산서를 발행하지 않고 부가세 부분만큼 할인을 해주었습니다. 이런 경우 세금 처리가 가능한가요?

택스 코디

대부분의 인테리어 사업자는 적격증빙(세금계산서)을 요구하면 부가가치세 10%를 별도로 요구합니다. 돈을 더 주고 세금계산서를 받을 경우에는 당연히 종합소득세 필요경비 처리가 가능합니다.

그러나, 질문자의 경우처럼 적격증빙을 받지 못하였다면 어떻게 될까요? 결론부터 예기하자면 가능합니다.

부득이하게 적격증빙을 받지 못한 때에는, 소명용증빙(인테리어 계약서, 견적서, 인테리어대금 이체 내역 등)으로도 비용처리는 가능합니다.

단, 해당 금액의 2%에 해당하는 증빙불비가산세를 부담해야 합니다.

사업을 운영함에 있어서 매입처에서 원치 않는 경우, 실수로 누락한 경우 등의 사유로 적격증빙을 받지 못하는 상황이 더러 있게 마련입니다.

적격증빙의 수취란 사업에 관련된 지출을 세금계산서, 계산서, 현금영수증, 신용카드매출전표 등을 받았을 경우를 말하는데, 사업을 하다 보면 적격증빙을 받지 못하는 경우도 있게 마련이죠.

부가가치세 신고는 적격증빙을 갖추지 못하면 부가가치세 매입세액 공제를 받지 못합니다.

그러나, 종합소득세의 경우는 사업에 관련된 지출이라면 경비로서 인정받을 수 있습니다. 이런 경우라면 금융기관을 통해서 계좌이체를 하여 거래를 했다는 증빙, 거래를 증명할 수 있는 증빙이 필요합니다. 그리고, 이런 경우라면 증빙불비가산세가 2%를 부담해야 합니다.

가령, 사업장을 임대한 건물주가 간이과세사업자라면 임대료 부분에 대한 세금계산서를 받을 수 없으므로 부가가치세 매입세액공제는 받지 못하나, 종합소득세 경비처리는 임대차계약서, 임차료 이체 내역으로 가능합니다.

종합소득세의 필요경비처리는 부가가치세와 달리 적격증빙이 아니라도 비용처리가 가능합니다.

단 3만 원 이상을 처리할 경우(접대비는 1만 원)에는 증빙불비가산세를 2% 추가 납부해야 합니다.

초기자본이 부족하여 인테리어를 하고 세금계산서를 못 받았을 경우에도 세법에 따라 2%의 증빙불비가산세를 부담하면 경비처리가 가능합니다. 인테리어 계약서, 거래이체내역 등의 소명용증빙은 반드시 있어야 합니다.

 초보원장님

증빙불비가산세를 납부하지 않아도 되는 경우가 있나요?

택스 코디

해당 과세기간에 신규로 사업을 개시한 자, 직전 과세기간의 사업소득 수입금액이 4,800만 원에 미달하는 사업자는 증빙불비가산세를 부담하지 않아도 됩니다.

이 경우에도 비용처리를 하기 위해선 사업의 지출임을 증명하는 소명용증빙은 가지고 있어야 합니다.

3만 원 이상의 비용(접대비는 1만 원)에 대해서는 세법에서 인정하는 적격증빙을 수취해야 비용으로 인정이 됩니다.

그러나 부득이하게 적격증빙을 수취하지 못하고 소명용증빙만 갖추어도 비용으로 인정을 받을 수는 있으나 증빙불비가산세 2%를 부담해야 합니다.

그리고 영수증수취명세서라는 서식을 작성해서 종합소득세 신고시 제출해야 합니다.

만약 서식을 제출하지 않으면 1%의 가산세가 부과됩니다.

이는 개인사업자에게만 해당이 되며 법인의 경우에는 제출 의무가 없습니다.

리스한 복사기 비용처리

 초보원장님

학원 복사기를 리스하였습니다. 세금 처리는 어떻게 되나요?

 택스 코디

학원의 차량 및 복사기의 경우 리스를 이용한 거래가 잦아지고 있습니다.

보통의 경우 운용리스로 계약이 체결되고 계산서가 발급됩니다. 리스의 경우 금융용역으로 보기 때문에 세금계산서가 아닌 계산서가 발급됩니다.

그러므로 종합소득세 신고 시 비용처리가 가능합니다.

운용리스의 경우에는 소유권이 리스회사에 있으므로 리스계약 기간이 종료된 후에는 계약의 내용에 따라 잔존가치를 지불 하고 구입을 하거나, 신규자산으로 재리스를 하면 됩니다.

차량 관련 비용처리

차량이 업무용으로 사용되었다는 것을 증명하기 위해서는 운행기록부를 작성해야 합니다. 운행기록부에서 가장 중요한 내용은 업무용 사용 거리입니다.

업무용 사용 거리란 사업에 관련된 업무를 수행하기 위하여 주행한 거리로, 출퇴근 거리도 포함이 됩니다. 거래처접대를 위한 운행, 직원들 경조사 참석을 위한 운행도 모두 업무용 사용 거리에 포함 시킬 수 있습니다.

종합소득세 신고 시 업무용승용차관련비용명세서를 제출해야 하며, 운행기록부는 과세 관청의 요청 시 즉시 제출해야 합니다. 업무에 관한 소명의 책임은 사업주에게 있기 때문입니다.

예를 들어, 차량가액이 5,000만 원이고, 1년간 지출한 차량 관련 비용(보험료:120만 원, 유류비:400만 원, 통행료: 30만 원)이 550만 원이라고 가정한 경우,

차량 관련 비용은 감가상각비 1,000만 원(차량은 정액법으로만 계산) + 1년간 지출한 차량 관련 비용 550만 원 = 1,550만 원이 됩니다.

1 차량운행일지를 작성하지 않은 경우

차량 관련 비용 중 1,000만 원만 비용이 인정됩니다.

2 차량운행일지를 작성한 경우

① 전체 운행 거리 : 20,000km, 업무용 사용 거리 : 18,000km인 경우

1,550만 원 × 18,000 / 20,000 = 1,395만 원이 비용으로 인정됩니다.

② 운행거리가 모두 업무용으로 사용된 경우

차량 관련 비용 1,550만 원 모두 비용으로 인정됩니다.

학원 협회비 비용처리

학원은 학원총연합회에 소속되어 있고, 학원의 형태에 따라 보습학원, 미술학원, 음악학원 등 각 협회별로 소속되어 있습니다. 그리고 지역연합회에도 소속되어 있는데 이런 사단법인 성격인 협회에 지출하는 비용은 협회비로 분류되어 비용처리가 가능합니다.

 초보원장님

협회가 법인이 아닌 경우는요?

 택스 코디

협회가 법인이거나 법인격인 단체 등 법정 단체의 경우에는 바로 비용처리가 가능합니다.

그러나 임의단체에 지급하는 회비 및 특별 회비 등은 세법상 지정기부금으로 판단되므로 기부금 한도액을 별도로 계산하여 비용처리가 가능합니다.

협회비 등을 지급한 경우에는 영수증을 발급받은 후 그 협회의 성격에 따라 비용 또는 지정기부금, 비지정기부금 등으로 비용을 처리해야 합니다.

손해배상금 비용처리

　사업을 하다 보면 손해배상금이 발생하는 경우가 있는데, 비용처리에 있어 중요한 것은 중과실 여부입니다.

　세법에서는 사업업무와 관련한 손해배상금으로 고의 또는 중대한 과실로 타인의 권리를 침해함으로 발생하는 금액은 비용으로 인정하지 않는다고 표기하였습니다.

　그렇다면 고의 또는 중대한 과실이 없는 한 사업업무와 관련한 손해배상금은 필요경비로 산입이 가능하다는 것입니다.

 초보원장님

　학원 차를 몰다 교통사고로 인한 위자료 지급을 한 건 비용처리가 되나요?

택스 코디

　업무수행 중 교통사고를 일으켜 피해자에게 치료비와 위자료를 지급한 경우, 사업주가 사고의 발생에 대해 고의 또는 중대한 과실이 없는 경우에는 지급한 피해배상금은 필요경비 처리가 가능합니다.

기부금 경비처리

종합소득세 신고 시 사장님들의 관심사는 어떻게 하면 세금을 줄일 수 있는가입니다. 세금을 줄이기 위해 선 벌기 위해 쓴 돈, 즉 필요경비 처리가 많아야 합니다.

필요경비는 사업과 직접적인 관련이 있어야 처리되나 그렇지 않음에도 처리가 가능한 항목이 있는데 바로 기부금입니다.

기부금이란 불우이웃돕기, 이재민 성금 등과 같은 타인에게 사업과 직접 관계없이 무상으로 지출하는 재산적 증여의 가액을 말합니다. 무상적 지출이라는 점에서 접대비와 비슷하게 보이나 사업과 직접 관련이 없다는 점에서 차이를 보입니다.

2011년부터는 기부문화 활성화를 위해 사업자 본인이 지출한 기부금뿐만 아니라 연간 소득금액의 합계액이 100만 원 이하(총급여액 500만 원 이하의 근로소득만 있는 경우 포함)인 배우자(나이 제한을 받지 않으며 다른 거주자의 기본공제를 적용받는 자는 제외) 및 연간 소득금액 합계액이 100만

면세사업자

원 이하인 부양가족이 지급한 법적기부금과 지정기부금도 해당 사업자의 법정기부금 및 지정기부금에 포함이 됩니다.

 초보원장님

법정기부금, 지정기부금이 무엇인가요?

 택스 코디

필요경비 처리가 가능한 기부금은 크게 4가지로 구분이 됩니다. 다음과 같습니다.

1 정치자금기부금

사업자인 거주자가 정치자금법에 따라 정당, 후원회, 선거관리위원회에 기부한 정치자금 중 10만 원을 초과하는 금액(10만 원 이내의 기부금액의 경우 100/110을 세액공제)

2 법정기부금

국가 또는 지방자치단체에 기부한 금품, 국방헌금과 위문 금품, 천재지변 또는 특별재난구역 이재민 구호 금품 가액, 자원봉사 용역 가액, 사립학교(시설비, 교육비, 장학금, 연구비) 등에 기부한 금품

❸ 우리사주조합기부금

우리사주조합에 지출하는 기부금(우리사주조합원이 지출하는 기부금은 제외)

❹ 지정기부금

법인세법 시행령 제36조 제1항 각호의 기부금

① 근로자 또는 교원의 노동조합비, 교원단체 회비, 공무원노동조합 또는 공무원직장협의회에 가입한 자가 납부한 회비

② 공익법인 기부신탁

공익법인신탁 위탁자의 신탁재산이 위탁자의 사망 또는 신탁계약기간의 종료로 인하여 상속세 및 증여세법 제16조 제1항에 따른 공익법인등에 기부될 것을 조건으로 거주자가 설정한 신탁으로서 법정요건을 모두 갖춘 신탁에 신탁한 금액

③ 비영리민간단체(사회복지법인, 학술연구단체, 종교단체 등) 지원법에 따른 등록된 단체 중 행정안전부 장관의 추천을 받아 기획재정부장관이 지정

한 기부금대상 민간단체에 지출하는 기부금

기부금이 100만 원이고 기부금을 경비 처리한 소득금액이 1천만 원이라고 가정하면,

기준 소득금액은 1천만 원 + 100만 원 = 1천 1백만 원이 됩니다.

법정기부금은 1천 1백만 원의 100%를 한도로, 지정기부금은 1천 1백만 원의 30%를 한도로, 종교단체기부금은 1천 1백만 원의 10%를 한도로 기부금 경비처리를 인정해 줍니다.

 초보원장님

한도를 초과한 기부금은 어떻게 되나요?

 택스 코디

한도초과액 기부금은 10년 동안 이월공제가 가능합니다. 단 정치자금기부금과 우리사주조합 기부금은 이월공제가 허용되지 않습니다.

초보원장님

기부금 관련 증빙은 어떻게 하나요?

 택스 코디

기부금을 지급하는 단체의 경우 비영리법인 등이 많으므로 정규증빙이 없어도 종합소득세 신고 시 한도 만큼 비용처리가 가능합니다.

기부한 곳에 문의하여 기부금 영수증을 수취하여 장부상에 비용으로 기재해야 합니다. 기부금을 공제받기 위해서는 장부 작성이 필수입니다.

그리고 종합소득세 신고 시에는 기부금명세서를 관할세무서장에게 제출해야 합니다.

면세사업자

사업자는 사업을 운영하는 책임자입니다.

무엇보다 세금에 신경을 써야 합니다. 힘들게 번 돈을 세금으로 날리면 그보다 아까운 돈이 어디 있을까요?

경제 활동에서 세금은 중요한 부분이지만, 세금에 관해서 잘 알기도, 잘 알려주기도 어렵습니다. 그런 어려움에 조금이라도 도움이 되고자 하는 마음으로 본 책을 집필하였습니다.

모든 내용을 담아내지는 못했지만, 기본적인 틀은 잡을 수 있도록 했습니다.

기본은 알아야 전문가와 소통이 됩니다. 본 책의 내용만 숙지하여도 전문가들을 알고 부릴 수 있습니다.

조세 법전에는 다양한 법 조항들이 있으며, 같은 상황에서도 각기 다른 방법으로 해석될 수 있기에 납세자가 기본적인 지식이 있어야 전문가의 조언도 도움이 됩니다.

세무사, 회계사는 자타공인 세무 전문가입니다.

그들은 말합니다. 세무사 한 명이 세금의 모든 부분을 완벽히 안다는 것은 불가능하다고 얘기합니다. 의사들도 전공 분야가 있듯이, 세무사들도 전문 분야가 있습니다.

크게 3가지(기장대리, 재산제세, 세무조사)로 나눈다고 합니다.

첫 번째는 기장대리 입니다.

사업자의 부가가치세, 원천세, 종합소득세, 법인세 신고를 대리하는 것을 말합니다.

두 번째는 재산제세 입니다.

부동산과 관련한 양도소득세 및 상속,증여세가 해당 됩니다.

세 번째는 세무조사 입니다.

세무조사 업무로 인한 매출이 거의 대부분을 차지한다고 합니다.

저는 개인사업자는 복식부기의무자로 판정되면 세무대리인에게 기장대리 업무를 맡기기를 권합니다. 그러나, 요즘은 회계프로그램이 좋아져서 복식부기의무자로 판정되더라도 복식부기장부 프로그램을 사용한다면, 직접 하는 것도 괜찮습니다.

그런데 외부조정대상자로 판정되면 무조건 세무대리인을 써야 합니다.

'회계사무실 언제 부터 거래해야 하나요?'라는 질문을 자주 받습니다.

'사장님이 얼마나 알고 있느냐'에 따라 답은 달라집니다.

세금은 아는 만큼 줄어듭니다. 사장님의 절세를 응원합니다.

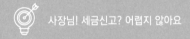

면세와 과세가 함께, 겸업사업자
공통매입세액 안분 계산법

[권말부록]

겸업사업자의
세금신고

면세와 과세가 함께, 겸업사업자

개인병원은 면세사업자 입니다.

하지만, 2014.2.1 일부터 치과도 과세대상으로 포함된 치과 성형(치아미백, 라미네이트와 잇몸성형수술)과 악안면 교정술(치아교정치료가 선행되는 악안면 교정술은 제외)을 하는 치과의 경우에는 사업자등록을 정정하여 과세, 면세 겸업사업으로 변경이 돼야 하기 때문에 이때부터는 면세사업자가 신고하는 사업장현황신고를 할 필요가 없습니다.

겸업사업자인 경우에는 일반과세사업자들과 동일하게 부가가치세 신고를 해야 합니다.

이때 면세매출에 대해서는 부가세 신고서 뒷면의 면세사업수입 금액란에 기재해야 합니다.

면세사업자로 등록한 치과가 과세용역인 라미네이트, 치아미백 등의 진료가 발생하였다면, 과세용역을 개시한 개시일로부터 20일 이내에 과세사업자로 반드시 전환하고, 부가가치세 신고를 해야 합니다.

정육점을 운영하면서 고기를 파는 식당을 식육 식당이라고 합니다.

정육점에서 파는 가공하지 않은 고기는 면세품이 되고 식당에서 구워 먹는 고기는 과세상품이 되기에 식육 식당도 겸업사업자입니다.

일부라도 과세상품을 판매한다면 반드시 과세사업자로 사업자등록을 해야 하며 부가가치세 신고도 해야 합니다.

과세사업에 해당하는 부분만 부가가치세 매입세액공제를 받을 수 있고 과세인지, 면세인지 구분이 모호한 경우에는 사업의 비율을 구분하여 안분계산한 뒤 부가가치세 매입세액공제가 가능합니다.

공통매입세액 안분 계산법

　과세와 면세사업을 겸업하는 겸업사업자는 기본적으로 과세사업과 관련한 매출에 대해서는 세금계산서를, 면세사업에 포함되는 매출에 대해서는 계산서를 발행해야 합니다.

　매출은 과세와 면세를 구분하는 것이 어렵지 않습니다.

　그런데 매입은 과세사업은 매입세액공제를 받을 수 있으나 면세사업은 매입세액공제를 받을 수 없습니다.

　매입이 과세사업을 위한 건지, 면세사업을 위한 건지가 확연히 구분될 경우에는 크게 문제가 되지 않습니다.

　그런데 사무실 임대료, 전기세 같은 공과금 등이 애매합니다.

　이런 경우에는 '공통매입세액 안분 계산'을 하면 됩니다.

면세사업에 관련된 매입세액
= 공통매입세액 × (면세공급가액 / 총공급가액)

예를 들어, 공통매입세액이 100만 원이고, 면세공급가액이 500만 원, 과세공급가액이 1,500만 원이라 가정하고 면세사업에 관련된 매입세액을 위 공식으로 계산하면,

100만 원 × (500만 원 / 2000만 원) = 25만 원이 계산됩니다.

따라서 공통매입세액 100만 원 - 면세사업에 관련된 매입세액 25만 원 = 75만 원만 부가가치세 매입세액공제를 받을 수 있게 됩니다.

면세공급가액이 총공급가액의 5% 미만이거나(공통매입세액이 500만 원 이상일 경우는 제외), 공통매입세액 합계금액이 5만 원 미만일 경우에는 공통매입세액 전부를 공제받을 수 있습니다.

[저자와의 질문 및 무료상담]

메일   guri8353@naver.com
블로그   blog.naver.com/guri8353

사장님!
세금신고?
어렵지 않아요

초판발행일 | 2020년 4월 10일

지 은 이 | 최용규
펴 낸 이 | 배수현
표지디자인 | 유재헌
내지디자인 | 박수정
제   작 | 송재호
홍   보 | 배보배

펴 낸 곳 | 가나북스 www.gnbooks.co.kr
출 판 등 록 | 제393-2009-000012호
전   화 | 031) 408-8811(代)
팩   스 | 031) 501-8811

ISBN 979-11-6446-018-2(03320)